LEARNING BY DRAWING
ARCHITECTURAL MASTERPIECES

名建築の
デザインに学ぶ
製図の基礎

垣田博之 著
HIROYUKI KAKITA

学芸出版社

　本書は、大学の建築学科1年生が、建築製図と模型製作の基礎を身につけるために必要な知識とスキルを学べる教科書として書かれています。建築製図は、製図の方法やルールを学ぶ、いわば語学を学び始めるときに文法や発音を身につけるような地道な学びです。その一方で、歴史に残る名建築は、その図面の中に建築作品のさまざまな生き生きした工夫が散りばめられており、それをトレースしたり、模型を製作したりすることは、それらの素晴らしさに触れる、発見に満ちた経験とも言えます。

　ここに取り上げた建築作品は、いずれも建築家が自分自身で住む家であったり、住み手が建築家の親族であったり、あるいは建築家とクライアントが一緒になり、長年にわたって思いを共有してつくりあげていったものであったりします。

　建築作品は、建築家の論理的な思考と、住人や利用者の生き生きした体験への洞察の中で構想され、さまざまな工夫が、空間構成や家具の選定や配置まで作り上げられていくものです。これらの作品には、建築家が自分や自分に近い人のために設計しているために、繊細な心配りや、ほほえましい工夫が随所に見られます。それらの工夫を知り、味わってもらうために、それぞれの建築家がデザインしたり選び抜いたりした家具や照明の配置も図面に表現しました。

　また、敷地がそれぞれに魅力的であって、その魅力が設計に生かされていることも特長です。それらの敷地の魅力がどのように建築の配置や構成に生かされているのかも、読み取れるような図面とすることにも留意しています。

　それらのねらいを実現するには図面にある程度の大きさが必要でした。また、製図は小さくてもA3の製図用紙で行われることが多いことを考えると、図面の大きさはA3であることが望ましいと考えられます。一方、教科書は、学生のみなさんが鞄に入れて大学と自宅の間を頻繁に移動する必要から、あまり大判にすると不便であるという宿命を持ちます。それを両立するために、本の綴じ方を工夫し、各ページをできる限りフラットに開きやすくし、一部の図面を折り込みとしました。これによって、住宅作品が多かった今までの建築製図の教科書にはほとんど取り上げられてこなかった中規模の建築作品、本書では、ヒルサイドテラス第1期を掲載することができました。

　各作品の敷地環境も含めた魅力をできるだけ味わいながら製図や模型製作をしてほしいという想いから、写真を多く掲載したことも本書の特長です。著者自身がスイス、レマン湖畔に、小さな家を訪ねたり、あらためて代官山にヒルサイドテラスを訪れることは、新たな発見に満ちた楽しい旅

でした。素晴らしい名建築は、訪れる度に発見があると言われますが、そのときのいきいきした感覚をみなさんにも共有してもらうために、著者自身が撮影した写真を中心に掲載しています。そのために、レマン湖畔は、曇りの日で光に満ちた建築写真ではありません。しかし、当日の刻々と変化する天候が内部空間に反映する様子は圧巻で、この建築作品の凄さを感じることができる体験でした。ヒルサイドテラス第1期は、夏の緑に包まれて、ファサードの一部は緑に隠れた写真になっています。このことが豊かな街路樹や、隣接する奥の庭園の緑豊かな環境を生かしたこの建築作品の特質を感じさせるとも言えます。

　建築設計においては、CADによる製図が主流になり、大学教育の中でもCADやCGを使うことが年々進んでいます。しかし、図面表現の方法や、線種の使い分け、さらに図面に表現された空間構成の読み取りなどを学ぶのに、自分の手で図面を引くことに勝る方法はなく、そこで学んだ内容をCADでの製図に生かすことができるという意味でも、建築教育の中で占める重要性は失われることはないと考えます。また、CAD、CGの発達によって、模型は作られなくなるのではないかと言われていた時期がありました。実際には、我々は今、以前より模型を多く作るようになり、それによってイメージを形にし、クライアントに伝える重要性は、むしろ増しているように思います。

　本書を通じて建築学生のみなさんが学ぶことは、建築のほんの入り口です。その意味では、建築設計だけでなく、構造設計やまちづくりなど、建築設計以外の分野を目指すみなさんにも建築に関わる上で必要な基礎を身につけてもらうための教科書であり、建築設計を目指すみなさんには、これから広く自分の設計を行うための基礎となるようにと考えました。

　本書をまとめるにあたり、槇総合計画事務所、建築写真家の吉村行雄氏をはじめ多くの方々のご好意とご協力を賜りましたことに感謝いたします。また、学芸出版社の知念靖廣氏の助言と尽力のもと、この本ができたことにもお礼を申し上げます。

著者　垣田 博之

目　次

第1章

製図用具と製図の方法

製図用具

　図面1枚がひとつの作品です。優れた料理人が調理道具にこだわり、大切に扱い、手入れを行うように、製図用具に愛着を持つことが大切です。

　また、**平行定規や、それを置く机の上をきれいに整理し、使わないものは仕舞っておくことも**、集中して効率よく、正確で美しい図面を引く上で重要です。みなさんの中には、大学などで、一括して同じ製図用具を購入した人も多いと思います。一方で、筆記用具や定規、消しゴムなどは、それほど高価なものでもありません。たまに製図用具を売っているお店やネットでお気に入りの製図用具を探し、愛着を持てる道具で、モチベーションを上げて製図に臨むことも重要です。

平行定規

　平行定規を置く場所の回りをきれいに片付け、自分が適切な高さで正対できるよう製図板を置きます。

　平行定規の定規の部分を製図板と平行に調整してから、製図用紙を平行定規に固定します。**製図用紙は、図01のように中央のやや手前に固定すると製図しやすくなります。**固定する際に**製図用紙と製図板の間に消しゴムかす等が挟まっていると**、製図用紙が定規と**擦れる部分ができて図面が汚れるので注意してください。**

筆記用具

　まずは、**芯ホルダーを使って製図の練習を始めてください**。製図に馴れるにしたがって、製図用シャープペンシルを使っても良いです。一方、芯ホルダーが、様々な線の太さに対応可能であるのに比べ、製図用シャープペンシルを使う場合は、線の太さに対応した、芯の太さの異なる複数の製図用シャープペンシルを用意する必要があります。

　図02、03に示したように、**製図用シャープペンシルは、一般のシャープペンシルと異なり、先端の金属のパイプ状の部分が長く、根本も細い形状で、定規に当て線を正確に引けるようになっています。一般のシャープペンシルは、**定規に筆記用具の先端を正確に当てることができず、製図の精度が落ちるため、**製図には使わないでください。**

芯ホルダーと芯削り器

　芯削り器で、芯ホルダーの太い2mmの芯の先端を削ってください（**図04**）。製図を始めると、かなり**頻繁に芯を削り、鋭利に保つ必要がある**ことに気づくと思います（**図05**）。削った黒鉛の粉が散らないよう注意が必要です。

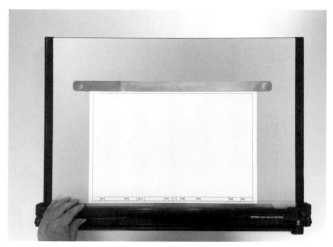

図01　平行定規に製図用紙を固定する。

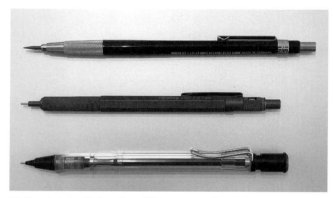

図02　上から、芯ホルダー、製図用シャープペンシル、一般のシャープペンシル。

図03　3種の筆記用具の先端

図04　芯削り器

図05　芯ホルダーを芯削り器に入れ、時計回りに回転させ、芯を削る。

三角スケール

三角形の断面で、各面で 1/100、1/200 などの縮尺の寸法を測りとれる用具です（図06）。

図面のトレースでは、必ず元の**図面の縮尺で、三角スケールで寸法を測りとり、自分の図面に移して描いてください。**建築では、mm の単位が寸法の基本なので、例えば、元の図面で壁厚 150（150 mm）と測りとって、自分の図面に、壁厚 150 を移し描きます。1/100 の図面では、壁厚 150 は、1.5（1.5 mm）で表現されていますが、**図面をトレースすることは、その作品で、壁厚**など、**それぞれの要素がどのような寸法で設計されているのかを学ぶことでもある**のです。逆に 1.5 と測りとって移し描くと、この学びの機会を逃してしまうことになります。

また、三角スケールは線を引く道具ではありません。三角スケールで線を引くと、目盛で芯が削れて、図面が汚れるからです。

角度定規

中央のツマミを緩めて角度を調整し、締めて固定することにより、あらゆる角度の線を引くことができます（図07）。使っているうちに、どうしても芯の黒鉛で汚れてくるので、こまめに拭いて、図面が汚れないようにしてください。

また、例えば 20°で固定すると、角度定規を 90°回転させて 70°の角度でも引けるというように、**設定角度とその直角の角度の両方の線が引けます。**

円定規

円弧の線を引く用具です（図08）。円定規には円の**中心を通る水平と垂直の線が入っているので、それをガイドにして、円弧や円を引いてください。**

字消し板と消しゴム

字消し板で、**消したくない部分をマスクしながら消したい部分のみに消しゴムを当て、細かく線や文字を消すことができます**（図09）。ペン型消しゴムも細かい部分を消すのに適し、インクも消せる高性能ペン型消しゴムは、普通の消しゴムで消えない図面の汚れを取るのに適します（図10）。

製図用ブラシ・羽根ぼうき

図面用ブラシ（図11）や羽根ぼうきで、**図面や平行定規板上の消しゴムかすをこまめに床に掃き落とし、図面が汚れないようにしてください。**また、消しゴムかすを机の上などにまとめて溜めることも、図面を汚す原因になります。

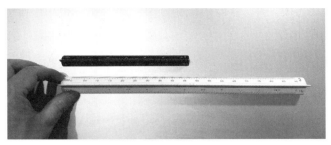

図06　三角スケールは 15 cm のものと 30 cm のものを使い分ける。

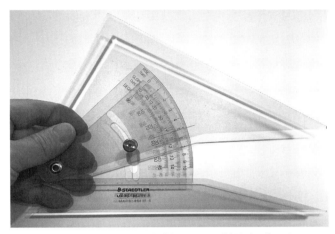

図07　角度定規があれば、三角定規なしでも製図が可能である。

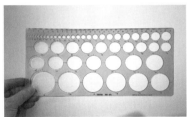

図08　円定規

図09　字消し板

図10　ペン型消しゴム

図11　製図用ブラシ

線の引き方の要点

建築の実務の中では、図面は何度もコピーされて建築に関わる人の手に渡り、建築の内容を伝えます。このため、まず、線が薄く、コピーされた際に消えてしまったりすることがないよう、**細い線でもはっきりと濃く引かれている必要があります**。また、表現されている内容は、線の太さや種類の違いによって伝えられます。このため、**同じ種類の線は太さが均一で、同じ表現である必要もあります**。

線を引くには、まず下描き線を引き、実際の線を引くという順で進めます。下描き線は薄く引き、実際の線を引いた後も消さずに残します。

線の引き方：水平線

平行定規で、右利きの人は左から右に、水平線を引きます。このとき、**平行定規にまっすぐ正対し、定規をしっかり左手で固定します**（**図12**）。芯の先端が定規のエッジに沿って安定して製図用紙の上を移動するためには、芯ホルダーを製図用紙に対して、垂直に近い状態にして引く必要があります。**右手を安定させ、一定の速度で一度で引き切ることで線の太さが均一な美しい線を引く**ことができます。

線の引き方：垂直線

垂直線を引くとき、右利きの人は角度定規を線の右に配置して平行定規に沿わせて左手で押さえ、**線は下から上に引きます**（**図13**）。

芯の先端が定規のエッジに沿って安定して移動するよう、芯ホルダーを製図用紙に対して、垂直に近い状態にして右手を安定させ、一定の速度で一度で引き切ることも水平線と同じです。

線の引き方：その他の線

水平、垂直以外の直線は、**角度定規で角度を設定して、左から右、下から上を基本に引いてください**。円定規の場合は**円や円弧の中心を通る、直交する2本の下描き線を引き**、それを基準に円定規のガイド線に合わせて引きます。

図面をきれいな状態に保つ

平行定規の定規の裏、製図用紙と接する面、角度定規の製図用紙と接する面は、芯の黒鉛で汚れてきます。**こまめに定規の裏やエッジを拭くようにすることで、図面が汚れることを防げます**。また、自分の手も、汚れていないか気を付け、こまめに洗うことも重要です。

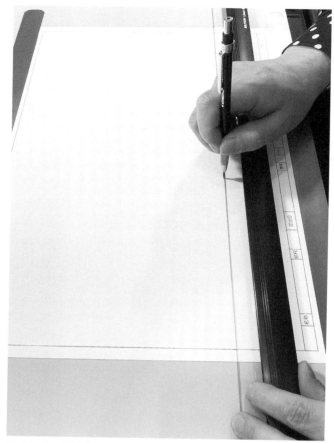

図12　線の引き方：水平線

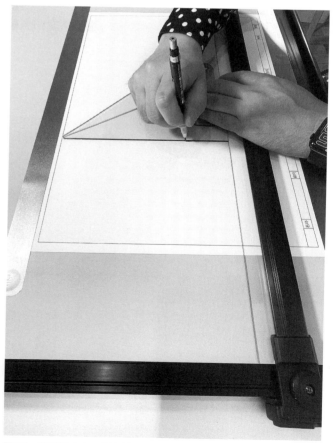

図13　線の引き方：垂直線

線の太さの差をはっきりさせる

ひとつの連続した線や、種類の同じ線は、太さを均一にする必要があります。一方、線の太さの差で、表現されている内容の違いをはっきり示さなければならない場合は**線の太さにはっきりした差、メリハリを付ける**ようにしてください（**図14**）。

線は交点で止める

出隅や、入隅など、線が屈曲する部分、多くは直角に屈曲して連続する部分では、**線が交点から出たり、交点に達していなかったりすることなく、交点で止められている必要**があります。

一方**下描き線は、図15のように、少し交点から出るように引き、消す必要もありません**。下描き線が少し交点から出るように引かれ、しっかり交点の位置が確定されてから、実際の線を、交点で止めるように引けば、線が交点で止められた、理想的な状態を実現できます。

破線も交点では線で交差させる

点線を建築図面では破線と呼びます。破線では、線と線のないブランクが交互や一定のピッチで繰り返されます。何も考えずに、破線どうし、または、破線と実線を交差させると、破線はブランクの部分で交差する場合と、線で交差する場合が出てきます。しかし、建築図面では、**破線は、ブランクの部分ではなく、線の部分で図16のように交差させる必要**があります。これは、2つの線が交差していることをはっきりと示すために設けられたルールです。

円弧と直線をなめらかにつなぐ

連続した線は、途中で屈曲しても基本的に同じ内容を表現するものですから、同じ均一な太さと同じ表現で、なめらかに連続すべきです。

直線の場合は、引き方が同じなので、比較的容易にこれを実現できます。一方、円弧は、円定規を使用して、直線とは異なる方法で引くことになるため、同じ均一な太さと同じ表現で、滑らかに連続させるのが少し難しくなります。

この場合も下描き線は交点を超えて伸ばして引くことになります。**円弧と直線をなめらかにつないで引くためには、下描き線の直線が、下書きの円弧の円の接線になるように引かれている必要があります**（**図17**）。このことと、線の太さを均一に同じに引くことによって、**円弧と直線が、なめらかに連続する状態を実現する**ことができます。

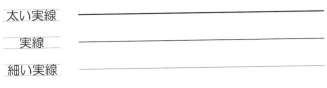

太い実線
実線
細い実線

太い実線　　実線　　細い実線

図14 線の太さの差をはっきりさせる

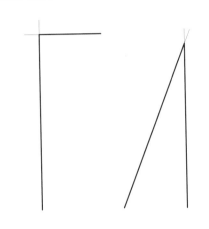

図15 線は交点で止める

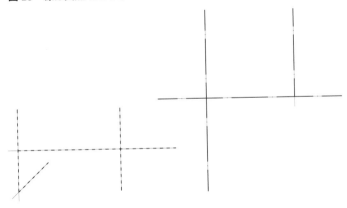

図16 破線も交点では線で交差させる

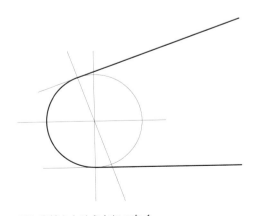

図17 円弧と直線をなめらかにつなぐ

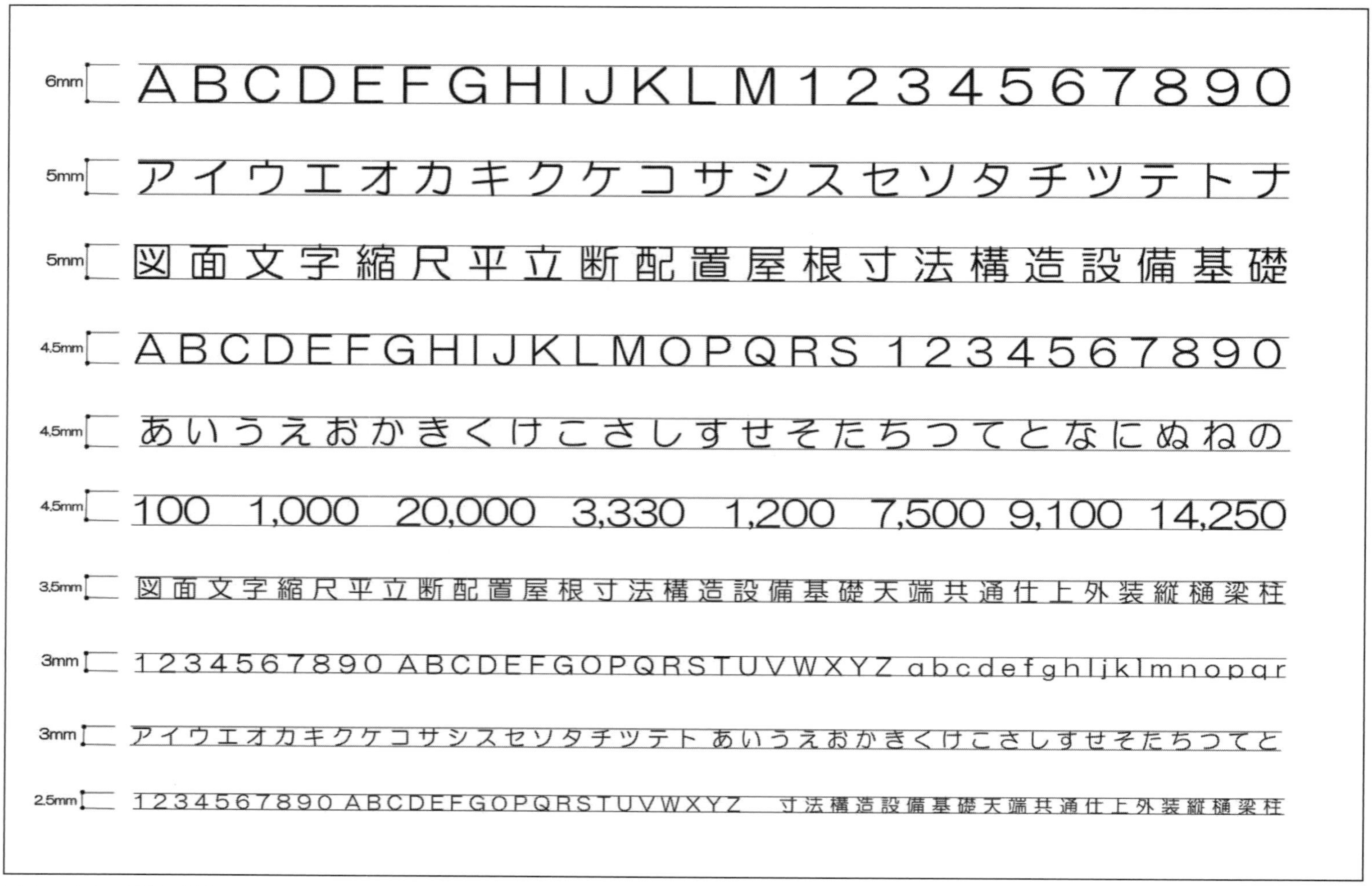

6mm ABCDEFGHIJKLM1234567890
5mm アイウエオカキクケコサシスセソタチツテトナ
5mm 図面文字縮尺平立断配置屋根寸法構造設備基礎
4.5mm ABCDEFGHIJKLMOPQRS 1234567890
4.5mm あいうえおかきくけこさしすせそたちつてとなにぬねの
4.5mm 100 1,000 20,000 3,330 1,200 7,500 9,100 14,250
3.5mm 図面文字縮尺平立断配置屋根寸法構造設備基礎天端共通仕上外装縦樋梁柱
3mm 1234567890 ABCDEFGOPQRSTUVWXYZ abcdefghijklmnopqr
3mm アイウエオカキクケコサシスセソタチツテト あいうえおかきくけこさしすせそたちつてと
2.5mm 1234567890 ABCDEFGOPQRSTUVWXYZ 寸法構造設備基礎天端共通仕上外装縦樋梁柱

図 18 文字の練習 見本

建築製図の文字

建築図面は、図面を読む人に、**表現された内容を正確にストレスなく伝える**役割を持ちます。一連の図面を複数の人が作成した場合は特に、文字に個性（文字のクセ）が出てしまうと図面を読む人にとってわずらわしく、場合によっては内容が間違って伝わることがあります。そのため、**書類や手紙の「きれいな文字」とは異なり、作成者の個性（文字のクセ）が出ない文字で表現する必要**があります。

また、**文字の大きさや間隔がきれいに揃っていること、濃さや太さが揃っていること**も、上記の理由から重要になります。

1．横線は水平に、縦線は垂直に

建築図面の文字は、**見本と全く同じように、横線は水平に、縦線は垂直に描く**ということに気をつけてください。当たり前のようですが実際は、**普通の手紙や書類の文字は横線を少し右上がりに、縦線を弓なりに書く場合が多いです。これは建築図面の文字としては失格です。**しかも、これが習慣になっているため、意識し続け、注意し続けないと、建築図面の文字のルールから外れていってしまいます。普通、文字は「書く」ものですが、ここでは「描く」と表記しました。普段の文字と意識を切り変えて「描く」必要があります。

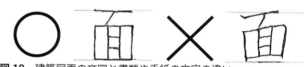

図 19 建築図面の文字と書類や手紙の文字の違い

2．上下に下描きの線を引いてから描く

文字の大きさを揃え、文字がきれいに並ぶよう、下描きの薄い細線の間に描いてください。**下描き線は消さずそのままにしておくこと**も重要です。下描き線があることで、図面の文字がより整って見えます。

3．濃くはっきり描く、均一な濃さと太さで描く

実際の建築の実務の中では、**図面は何度もコピーされ、追記されたりしながら、多くの人の手に渡り、図面を読む人にそこに表現された内容を伝えます。そのため文字も濃くはっきり描く**ことが重要です。そうでないとコピーされた際、文字が見えなくなって正確な情報が伝わらなくなってしまうからです。また、**均一な濃さで描き、同じ大きさの一連の文字は均一な太さで描く**ことも重要です。

図 20 文字の練習　手描き見本

4. 左上から右、上から下の順に描く

　図面は、図面全体の基本として言えることですが、**左上から右、上から下の順に描いて**ください。これは、**描いた部分の上に手が擦れると汚れる**という理由のためです。

　左利きの人は、図面の上に紙を敷いて、描いた部分の上に手が擦れないようにして進めてください。

5. 下描き線で文字のピッチのアタリをつけておく

　文字の大きさ、ピッチが見本より大きすぎて、文字が 1 行に収まらなくなったり、逆に行の右側が空いてしまうことがあります。少しの誤差が重なって、大きなズレにならないよう、**5 文字ずつ等で見本の配置位置を測ってシートに下描きの目立たない点などを打っておく**とこれが防げます。

　ただし、この点などは目立たないよう薄くすべきです。また、図面に計算のメモを描いたり、残したりしてはいけません。このような**メモには図面シート以外の紙を使う**べきです。

6－1. シート全体がひとつの作品：名前や学籍番号も図面の文字のルールを守る

　シート全体をひとつの作品と考えて作成してください。建築を実際に現場で額に汗してつくる人、あるいは、莫大な費用を負担し、その能力やセンスを信頼して、建築作品の設計や施工をわれわれに依頼してくれたクライアントは、その建築の内容だけでなく、われわれの誠実さや美的なセンス、人柄までを建築図面を通して読み取ります。

　この章で説明した内容を守って、きれいに作成された図面は誰の目にも美しいものになり、また、そのことが重要です。

　シート全体がひとつの作品ですから、特に注意してほしいこととして**シート最下段の提出日、学年や学番、氏名も建築図面の文字のルールに従って、丁寧に記入**してください。

6－2. シート全体がひとつの作品：シートが汚れないように、折らないように

　製図する周囲の環境をきれいに整理した上で、作成の途中で手が汚れていないかにも気をつけて、**シートが汚れないように注意**してください。また、**図面は折ってはいけません**。折り目が見苦しくなり、汚れる原因にもなるからです。

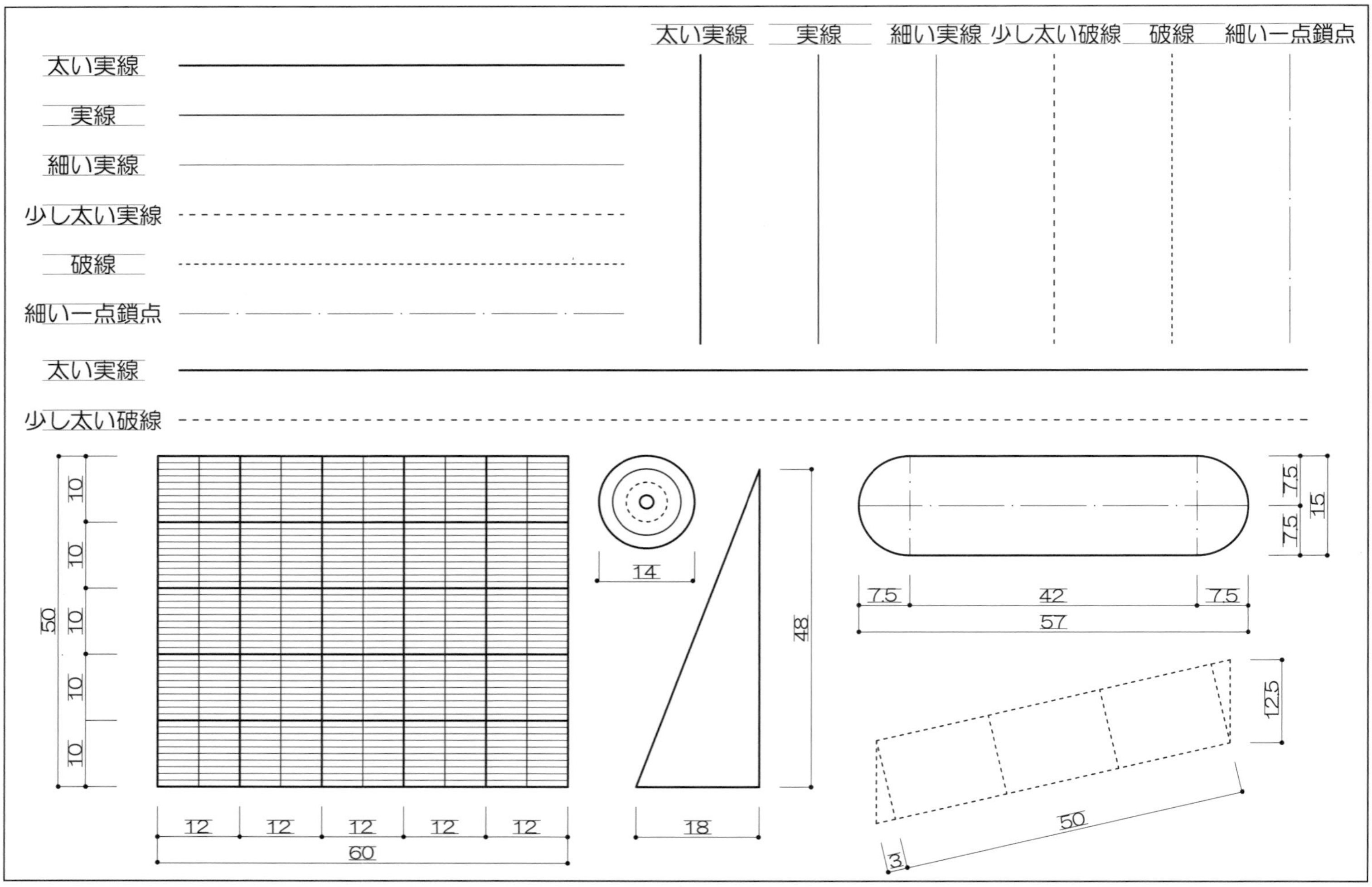

太い実線　実線　細い実線 少し太い破線　破線　細い一点鎖点

太い実線

実線

細い実線

少し太い実線

破線

細い一点鎖点

太い実線

少し太い破線

図 21　線の練習　見本

建築製図の線

文字の練習では、文字の上下に下書き線を引いて、それを基準に描きました。「線の引き方の要点」で説明したように、線は全て、一旦下書き線を細く薄く引き、位置や長さを確定した後で、本来の線を引きます。細い線でもはっきりと濃く引いてください。

「線の引き方の要点」で説明したように、下書き線は消さずに残します。

文字と寸法の数字、寸法線は最後に

左上の水平線、右上の垂直線、左下の格子状の図形の順に引いてください。

数字は、ミリメートル寸法を表し、それに補助的に沿って配置された線と押さえの黒丸を寸法線と言います。文字と寸法の数字、寸法線は、他の全ての線を完全に引き終えてから描いてください。

これは、文字や数字、押さえの黒丸などは、汚れやすいためです。建築製図では、線を引く、文字を描く順を正確に守ることが大事です。これは、正しい製図の順序が、実際の建築設計で必要な検討事項の順序に合致しているからであり、一方で、図面が汚れることを防ぐことになるからでもあります。

線の太さの均一性と差のメリハリ

「線の引き方の要点」（p.10）の見開き2ページをよく読んでください。同種の線は均一に同じ太さで引き、種類の異なる線は太さや表現の差のメリハリが必要です。

具体的には、図面全体の中で、「太い実線」は1本1本が均一の太さで、かつ垂直線、水平線、長い線、下段の図形の中の太い実線も同じ太さである必要があります。また、どの「太い実線」も「実線」より太く、その差がはっきりとメリハリがある必要があります。

表現の均一性と差のメリハリ

表現の均一性と差のメリハリとは何でしょうか。見本の「少し太い破線」と「破線」は、線の太さが異なるだけでなく、破線のピッチが異なっています。このピッチの差にもはっきりとメリハリがある必要があります。また、図面中央部にある長い方の少し太い破線と、上の短い方の少し太い波線は、太さだけでなく、破線のピッチも同じである必要があります。

なお、1本の、あるいは同種の破線のピッチを均一にするには、丁寧さが必要です。建築製図、模型製作も含め全般に、最初難しいことにも慣れて、やっただけ確実に徐々に上達します。但し、丁寧に進めないと上達しません。

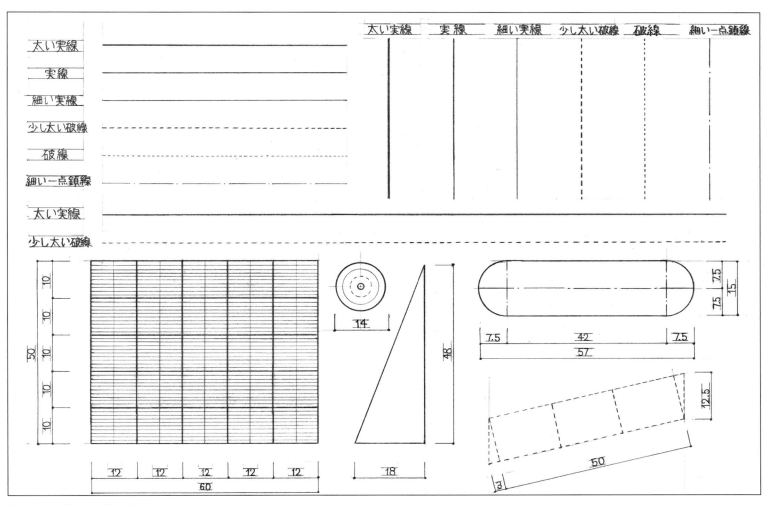

図22 線の練習 手描き見本

ひとつの図の中の線を引く順序

　上記の見本の左下にある格子状の図形には、3種類の線があります。全体の輪郭と、縦横を 10 mm、12 mm ずつに分割する「太い実線」、縦に、「太い実線」で分割された 12 mm のピッチを縦半分に分割する5本の「実線」、さらに、横に「太い実線」で分割された 10 mm のピッチを 1 mm ごとに、10 分割する9本×5＝45 本の「細い実線」です。

　一つの図の中では、**同種の太い線を全て引き切ってから、細い線に取り掛かるようにしてください。**

　具体的には、図面上の格子状の図形の位置を全体の輪郭から測りとり、「太い実線」全体の輪郭を下描きします。さらに、縦横5分割の「太い実線」を下描きし、「太い実線」を引きます。その後、縦に5本の「実線」の下描きをして、「実線」を引き、最後に横に「細い実線」の下描きをして、「細い実線」を引く順番になります。

　同種の線を続けて引くことで線の太さや種類を均一にすることが容易になり、そのことを確認しながら引いていくことができます。

　また、**下描きと実際の線を引くことを線種ごとに繰り返し**た方が、先に全て下描きしてから各種の線を引くより、線種の間違いが少なくなることに加え、下描き線が錯綜して見にくくなることを避けることができます。

　さらに、実際の建築図面でも、太い線は建築全体の骨格や基準になる部分を表すことが多く、細い線は、ディテールを表すことが多いのです。**建築物の骨格や基準になる部分を表す「太い線」を引いた上で、それを基準にして、ディテールを表す線「細い線」を引く**ということでも理に適っています。

一点鎖線の点と寸法線の点

　線の練習の見本と手描き見本の「一点鎖線」を見てください。線とブランク、点が複合しています。**「一点鎖線」の点は、寸法線の点とは異なり、黒丸ではなく、線と同じ太さにする**必要があります。間違いやすいので注意してください。

　また、**寸法線の押さえの黒丸は、見本にならった適切な大きさで忘れずに、必ず描く**ようにしてください。建築図面では、場合によって寸法線がいくつも重なる場合があり、その寸法の数字が表している部分がどこなのかをはっきり分かるようにするために、寸法線の押さえの黒丸が必要です。

見直しの重要性

　図面が完成したら、必ず、できれば少し**間を置いて見直す**ことで、間違いや描き忘れを防げます。

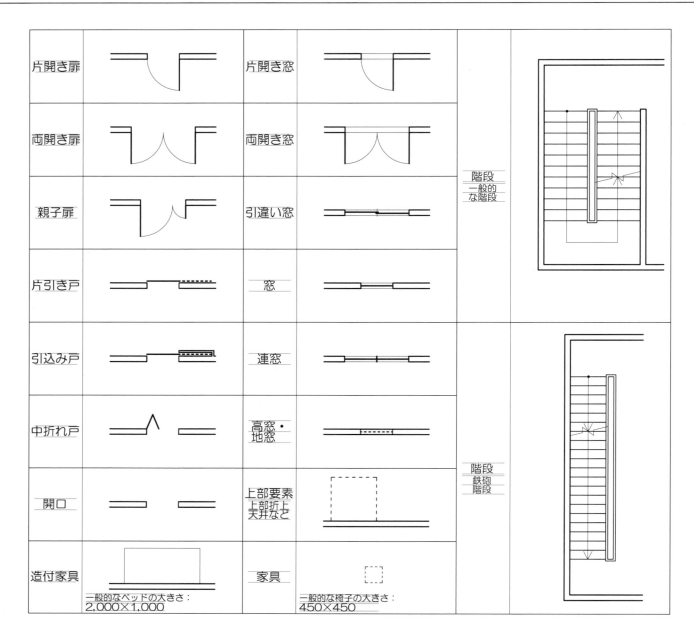

片開き扉		片開き窓	
両開き扉		両開き窓	
親子扉		引違い窓	
片引き戸		窓	
引込み戸		連窓	
中折れ戸		高窓・地窓	
開口		上部要素 上部折上 天井など	
造付家具	一般的なベッドの大きさ： 2,000×1,000	家具	一般的な椅子の大きさ： 450×450

階段 一般的な階段

階段 鉄砲階段

カップマルタンの休暇小屋 1952年設計：ル・コルビュジエ

南仏に建てられた小さな休憩小屋、テーブルに面した窓から地中海が望める
ベッドやトイレなどは、最小限の大きさで設計されている

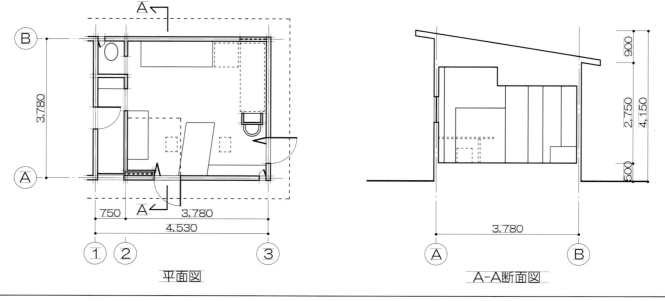

平面図

A-A断面図

図 23 図面表現の練習　見本

図面表現

左の表は平面図での表現です。**平面図は、人の腰から胸くらいの高さで建物を水平にカットして上から見た**図です。

片開き扉では、左右に壁が太い実線で表現され、扉が開いた状態で太い実線と、戸先の軌跡を細い実線で表現します。**扉も壁も、断面になるので太い実線で表現します。**

これに対し、**輪郭、階段などの見えがかり線は実線で**、断面線より細くします。

片開き扉と、片開き窓を比べると、後者には壁厚の細い実線が入っている点が異なります。窓の場合は、扉と違い窓の開口の下に壁があり、それを細い実線で表現します。

高窓・地窓は、人の胸より高い位置か、腰より低い位置にある窓のことで、本来、平面図で**見えない開口部**ですが、重要な要素なので**太い破線で表現します。**

また、天井が一部高くなっている折上天井、軒の出などの上部要素、平面図で見ている**背後にあって見えない重要な輪郭線は太い破線で表現します。**

造付テーブルなど**造付家具は見えがかり線と同じく実線で**表現し、一般の椅子などの**可動の家具は、破線で表現します。**

引き戸は、戸を開けたときの状態の表現は太い破線です。窓は、サッシの桟を太い実線で表現し、引き違いの場合は、2枚の動く窓の重なりの中央に細い実線を入れます。

左の2つの階段は、中央に壁がなく、手摺が回っているタイプです。**段、手摺ともに見えがかり、輪郭として実線で表現します。**階段は上がる方向に矢印を入れその階から**上がり始める段差部を黒丸で押さえます。**

2つの階段ともに、3階建ての2階のように、この階に、下から上がってきて、上に上がっていく階段です。**稲妻型の記号は、破断線**といい、階段やスロープを上がっていく途中でカットして表現します。

カップマルタンの休暇小屋、**数字とアルファベットが振られているのは通り芯で、細い一点鎖線で表現し、建築の基準線になります。寸法線は細い実線で表現します。**

断面図は、平面図に鍵状の矢印で示された切断線の位置でカットして表現したものです。平面図と同じく、**断面線は太い実線、見えがかり線、輪郭は実線**とします。造付テーブルは背後にある造付家具として破線で表現します。

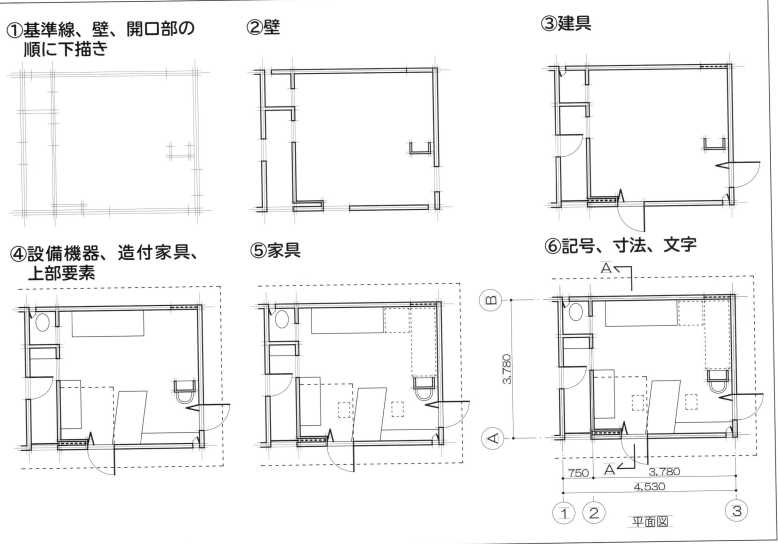

① 基準線、壁、開口部の順に下描き

② 壁

③ 建具

④ 設備機器、造付家具、上部要素

⑤ 家具

⑥ 記号、寸法、文字

平面図

図24 カップマルタンの休暇小屋 外観：豊かな自然に囲まれている。
撮影：Shafiul Alam Sohag

図25 カップマルタンの休暇小屋 内観：ル・コルビュジエのデザインした家具たち。撮影：Shafiul Alam Sohag

図26 カップマルタンの休暇小屋の窓から地中海を望む。
撮影：藤脇慎吾

カップマルタンの休暇小屋

設計：ル・コルビュジエ
ニース近郊、フランス　1952年

　カップマルタンの休暇小屋を設計したル・コルビュジエ（1887-1965）はスイス生まれ、主としてフランスで活躍した建築家です。第2章、3章で紹介する、小さな家の設計者でもあります。

　この休暇小屋は、パリで設計活動をしていたル・コルビュジエが、名前通り休暇を過ごしたり、都会から離れて建築の構想を練ったりする場所として、自分のために設計した建築作品です。

　非常に簡素で小さい建築ですが、さまざまな形式の窓の配置や、天井高を変化させて空間の広がりに抑揚を持たせる工夫、彼自身がデザインしたシンプルな家具とその配置によって、空間の豊かさがつくりだされています。窓からは、地中海の風景が一望できます。また、温暖な地域の、生命力に満ちた自然に囲まれた周辺環境が写真からも読み取れます。

　図面を見て特に印象深いのは、平行四辺形のテーブルです。これによって、決して広くない空間に渦を巻くような動きが生まれています。第2章で詳しく解説しますが、ル・コルビュジエの建築には、窓で風景を切り取って見せること、人の動きに従って見える風景が切り替わっていく工夫がなされていること、これをシークエンスというのですが、その2つの特徴があります。それが、非常に小さな建築の中にしっかりと実現しています。

　建築全体の小ささの中で、ベッドやトイレなどをどこまで小さくできるのかを実験しているようなところもあり、これらの要素は、現代の一般的な住宅に比べると小さく、最小限の大きさです。また、この休暇小屋には、キッチンと風呂はありません。平面図を見ると北西に壁が続いていますが、この建築はもともとあった、ル・コルビュジエお気に入りの定食屋さんの建物にくっついて増築されているのです。食事は、その定食屋さんでとるという考え方です。また、海が近く、彼は海で泳ぐことを好んだため、泳いだ際に外にあるシャワーを浴びることで事足りるので、風呂がいらないという考え方なのです。

　この休暇小屋を設計した1952年には、彼は既に世界的に活躍する建築家として名声を得ていました。贅沢で広大な別荘をつくることも十分可能だったはずです。その中で、自分のために設計した、このシンプルで簡素な休暇小屋には、人間の生活の本質的な豊かさについてのル・コルビュジエの哲学が表れています。

　20世紀以降の建築に最も大きな影響を与えたこの建築家は、77歳で、この休暇小屋の近くの地中海で大好きな水泳中に心臓発作のために亡くなりました。彼は地中海が見える場所にある、生前に自分がデザインした慎ましい墓に眠ります。

第 2 章

小さな家

設計：ル・コルビュジエ
レマン湖畔、スイス
1924 年

リビングテラスとポーチ：リビングテラスはレマン湖の風景を絵のように切り取って見せる。樹木は竣工時の桐の大木が枯れたため、代替わりしている。

作品解説 小さな家は、1章で紹介したカップマルタンの休暇小屋を設計した建築家、ル・コルビュジエ(1887-1965)の初期の代表作です。東京の上野にある国立西洋美術館も彼の作品であり、小さな家も含めた7カ国17作品は世界遺産に登録されています。

ル・コルビュジエは主として、当時、まだ、建築にはほとんど用いられていなかった素材である、鉄筋コンクリートを用いた建築作品を設計しました。19世紀の西洋の建築は石造であったため、石を積んだ分厚い壁で構造を支える必要があり、壁の配置や窓の大きさなどに大きな制約がありました。

ル・コルビュジエは鉄筋コンクリートの強度を生かして、梁と柱で構造を支え、壁の配置や、窓の大きさが自由に構成された建築作品を設計し、実現しました。この梁と柱による構造をラーメン構造といいます。鉄筋コンクリートのラーメン構造によって、1階部分を柱で浮かせるピロティ（高床）の形式も可能となり、19世紀の建築とは全く異なる建築の可能性が拓けました。彼は、技術的な新しさを、機能的で、人の生活の本質的な豊かさを実現する空間の構成や周辺環境への応答などに総合的に生かしています。

20世紀の初めには、自動車や飛行機、旅客船など、機能的で、機能を追求する中で生まれた新しい美しさを持っ

た機械はすでに存在していました。ル・コルビュジエはこれらの持っている機能性と新しい美を評価し、建築にも生かそうと考えていました。彼は、本や雑誌などの出版メディアを時代に先んじて生かし、自分の建築のアイデアを発表しました。「建築をめざして」（1923年）という本の中で彼は、「住宅は住むための機械である。」という言葉によって、建築の可能性を表しています。さらに、「近代建築の5原則」という形でより具体的に説明しています。それは、1.ピロティ、2.屋上庭園、3.自由な平面、4.横長連続窓、5.自由な立面です。この中で、2.屋上庭園以外の4つは、鉄筋コンクリートのラーメン構造によって実現したものです。

小さな家には、1.ピロティ 以外の4つが全て採用されています。構造は鉄筋コンクリート造ですが、規模が小さいこともあって、ラーメン構造ではなく、外周の壁で構造を支える形式となっています。しかし、浴室部分の円弧状の平面を持つ壁など、3.自由な平面の特性が生きており、特徴的な、湖に向かう大きな窓には、4.横長連続窓、5.自由な立面の考え方が生かされています。また、階段でアクセスできる2.屋上庭園も採用されています。

小さな家は、ル・コルビュジエが両親のために設計した住宅であり、2階のゲストルームは自分が泊まるために設けています。前段で触れた、彼の言葉や5原則という説明か

屋上庭園：緑化されており、階段でアクセスできる。

寝室から、リビングルーム、ゲストルームを通してポーチを見る：窓に沿って空間が連続している。

レマン湖側外観：横長連続窓が湖の風景に開かれている。

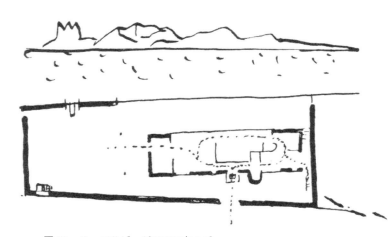
図01　ル・コルビュジエのスケッチ
（出典：LE CORBUSIER UNE PETITE MAISON Artemis,Zurich 1954）

ら受ける、論理的で固い印象とは反対に、彼の建築作品には、人間的な生き生きした工夫が散りばめられています。

上のル・コルビュジエ自身のスケッチから分かるように、湖とその向こうの山並みの風景を生かすことが設計のテーマとなっています。湖と山並みの風景に向けて開かれた、大きな横長連続窓が風景を切り取って見せること、敷地境界の湖側以外の三方を、壁で囲むことが示されています。

また、リビングテラスの壁に開けられた窓のような孔と造付のテーブル、外周壁の道路側に設けられた犬の物見台への思い入れも、伺えるスケッチです。

さらに、横長連続窓に沿うように、内部空間がつながっていて、ぐるっとひと回りできる回遊性が組み込まれていることが、点線で示されています。点線に沿って歩いていくに従って見える風景はつぎつぎに切り替わっていくことになります。これをシークエンスといい、彼の建築に共通してみられる特長のひとつです。

建物ヴォリュームの左側の2つの点は、左ページの写真にもある、ポーチの細い柱です。ル・コルビュジエは自動車や飛行機、旅客船などの機能的なデザインに魅力を感じていたと述べましたが、このポーチは、旅客船を思わせるデザインとなっていて、この建築作品の特長的な外観をつくり出しています。

また、写真を見ると、南北の外装の大部分は、平滑かつ白ではなく、グレーの金属板が張られています。最初、これらの部分もコンクリートを白くペイントした、平滑かつ白い壁でした。しかし、地下倉庫が地下水の影響で力を受けるために、竣工後間もなく外壁にひびが入り、ル・コルビュジエ自身のデザインで、アルミニウム製の薄板で南北の外装を覆っています。

リビングルームの造付テーブルと造付照明、奥に奥室を見る：横長連続窓に沿って、テーブルや洗面などが配置され、風景に向かって生活が展開する。

さきほどのスケッチが掲載されている本（「小さな家」（1954・邦訳1980）、この建築について、ル・コルビュジエがまとめた小さな本）には、この顛末が、「住宅も、また百日咳にかかる」と題したユーモアに満ちた文章で説明されています。設計者本人が竣工後デザインしたため、アルミニウム板で覆われた外装もうまくなじんでいます。しかし、本書では、図面、模型ともに、竣工時の状態のコンクリートに白くペイントした外装に従っています。

ル・コルビュジエは、建築を設計する際に洗面台などの設備機器や家具の配置もその建築の特性が生きるように設計しています。上の写真を見ると、リビングルームの造付テーブルや、洗面台、その向かいには浴槽があり、手前には寝室があるのですが、これらが、湖と山並みの風景に開かれた横長連続窓に沿って配置されていることが分かります。リビングルームのテーブルの照明も造付となっていて、窓の風景を邪魔しないよう考慮されています。建築と家具配置が一体となって、団欒や食事、入浴や洗面や歯磨き、就寝や目覚めなどの生活の各シーンが、全て湖と山並みの風景に開かれており、かつ、それによって、それぞれのシーンが、風景によってつながるような住宅となっているのです。

1階ゲストルームは、唯一、湖と山並みの風景には開かれていません。その代わりにポーチと、大きな樹木の木陰で、絵のように切り取られた湖の風景を楽しみながら食事やお茶を楽しめる、リビングテラスに開かれています。また、ハイサイドライトによって、他の部屋と異なる自然光と広がりが与えられ、東を向いていて朝日が差し込みます。

リビングルームとゲストルームの間の扉は、折り畳んで仕舞えるようになっており、ゲストの就寝時以外は、2つの空間が一体になります。

その結果、この住宅では、浴室、寝室、リビングルームが風景に沿ってつながり、さらにゲストルームまで間仕切りのない、ひとつの広がりのある空間になり、季節の良いときには、それが開けられた扉でポーチ、リビングテラスにまで広がります。

2階ゲストルームは、小さな造付テーブルのある段の上か、2段ベッドの上段に上がったとき、屋上庭園の緑越しに、湖と山並みの風景が常に初めて見る景色となるように工夫されています。

キッチン、リビングルームのピアノのコーナー、ユーティリティ、エントランススペースなどは、湖と反対側の、道路から外周壁で隔てることで落ち着きを確保した外部空間

犬の物見台

猫の展望テラス

エントランス外観：庇の左右の水抜きなどが、丁寧にデザインされている。

リビングテラス

ハイサイドライト

東側全景：右奥に2階ゲストルームのヴォリュームが浮いている。

に向けて窓が設けられています。これらの窓は、湖側の大きく水平に長く、1枚ごとのガラスも大きく風景を邪魔しない窓と対照的に、小さくて細かいサッシ割になっており、そのことが、外の見え方に抑揚を与え、湖の風景をより印象的にしています。

また、ユーティリティやリネン庫にはトップライトが設けられ、生活の中で機能的に必要になる裏手の空間にも、自然光をもたらして快適にしようとする、ル・コルビュジエの信念を感じます。

最後に、この住宅の特長として面白いのは、犬の物見台、猫の展望テラスが設けられていることです。本「小さな家」の中に、「犬は家族の一員なので、」「柵付きののぞき穴がある小さな踏み台を設けてやった。こうしておけば、犬は飽きもせず遊んでいられる」と説明されています。また、猫は飼い猫ではなく、この家を訪れる野良猫であるようです。犬や野良猫までが、この建築や風景を楽しみ、その姿をル・コルビュジエの両親や、彼自身が見ることで、幸せな気持ちになるような仕掛けが、建築の設計の中にしっかりと組み込まれているのです。

次ページから、配置図・1階平面図、2階平面図、断面図、立面図の順に小さな家の製図を進めます。巻末の折込

1/100完成図面を見て三角スケール1/100で測りながら、1：基準線、壁、開口部の順に下描きから順に進めてください。完成図面に寸法が明記されている部分は、そのまま寸法を図面に移せば良いです。

厳密に順番に沿って進めることで、同種の線を均一で同じ太さで引きやすく、異なる線との違いが明確化でき、美しい図面を仕上げることができます。また、これまでの練習の要点を生かし、細い線でも濃く引き、太細のメリハリをつけて引くこと、かつ、破線、一点鎖線のピッチは均等に引くようにしてください。

樹木や湖の波を表現したフリーハンドの線は、慣れないうちは難しいかも知れませんが、直線や円で下描きして丁寧に進めると、徐々に上手に描けるようになります。また、家具は、大きさの違和感や形の歪みが目立ちやすい要素なので特に丁寧に描く必要があります。文字は図面中の寸法や室名だけでなく、図面名称や、自分の名前なども、製図の文字の描き方で描くことも非常に重要です。図面名称や自分の名前を含めて、図面全体をひとつの作品と考えて仕上げてください。

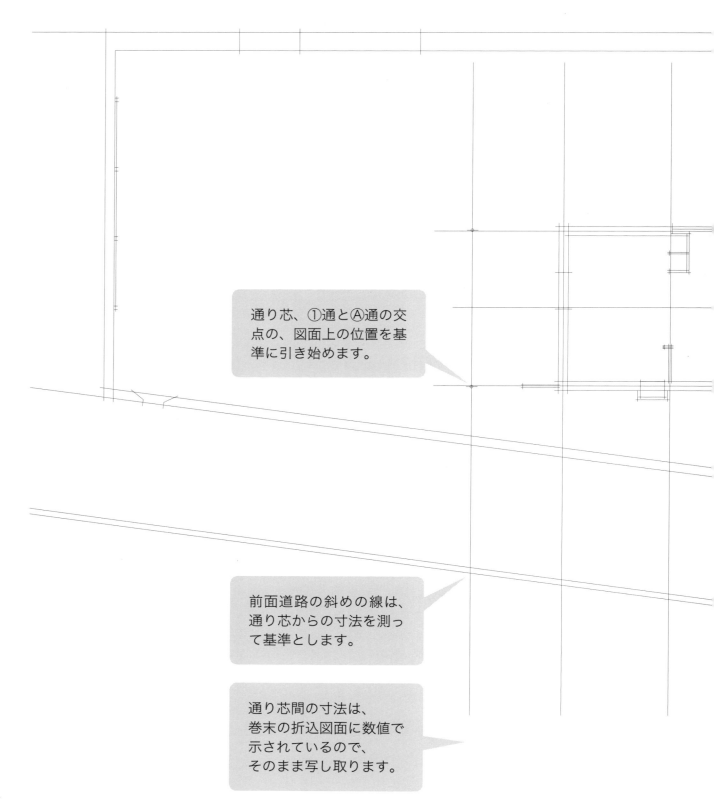

常に、巻末の折込図面も見ながら
進めてください。

ページの折り目をまたぐ寸法は、
折込図面で確認してください。

通り芯、①通と④通の交
点の、図面上の位置を基
準に引き始めます。

前面道路の斜めの線は、
通り芯からの寸法を測っ
て基準とします。

通り芯間の寸法は、
巻末の折込図面に数値で
示されているので、
そのまま写し取ります。

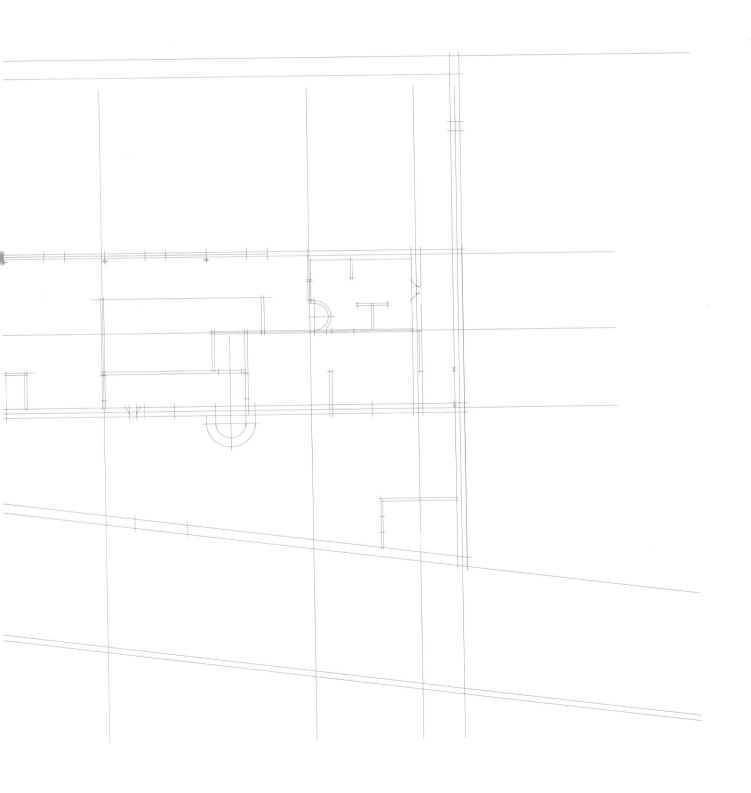

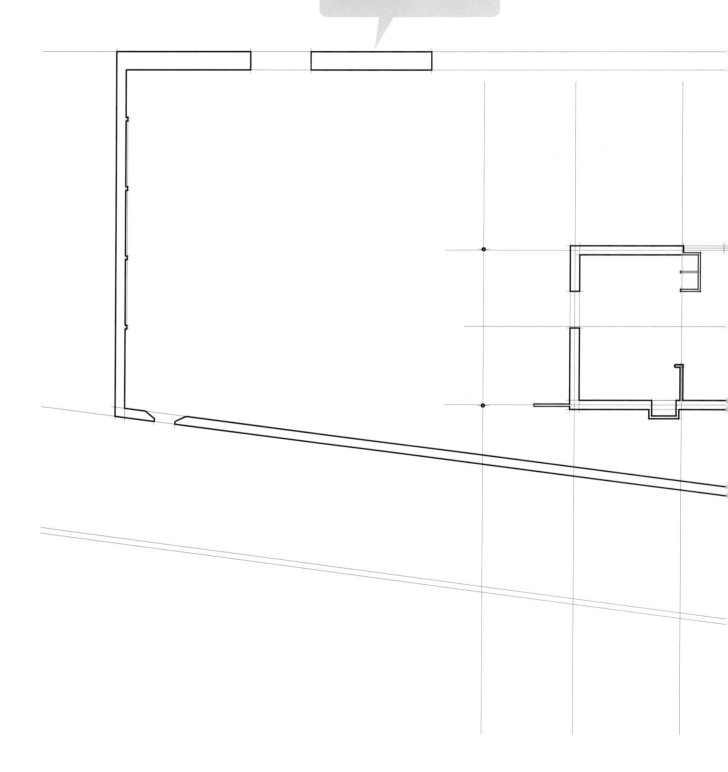

普通、外構は最後に描
きます。この作品では、
建築本体の壁と一体の
構成になっているため、
壁と同時に仕上げます。

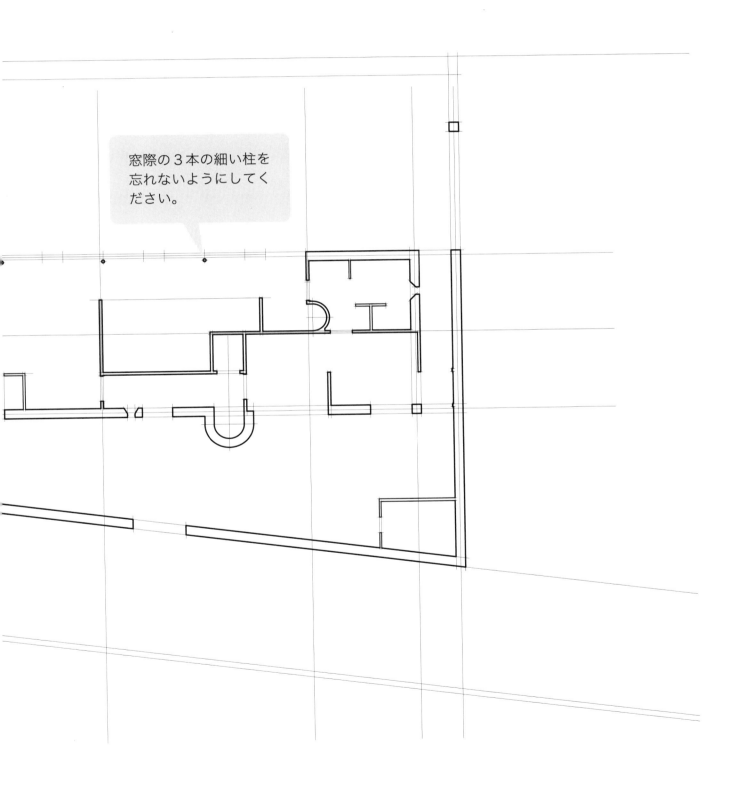

窓際の3本の細い柱を
忘れないようにしてく
ださい。

扉は、開いた扉の、
太い断面線と、戸先の
細い軌跡線の、太さの
違いを描き分けます。

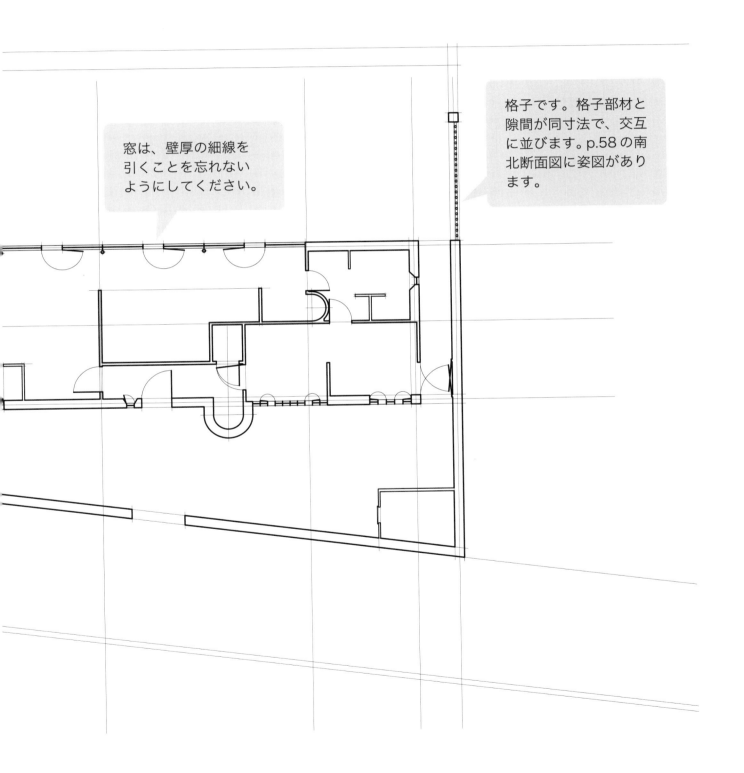

窓は、壁厚の細線を
引くことを忘れない
ようにしてください。

格子です。格子部材と
隙間が同寸法で、交互
に並びます。p.58の南
北断面図に姿図があり
ます。

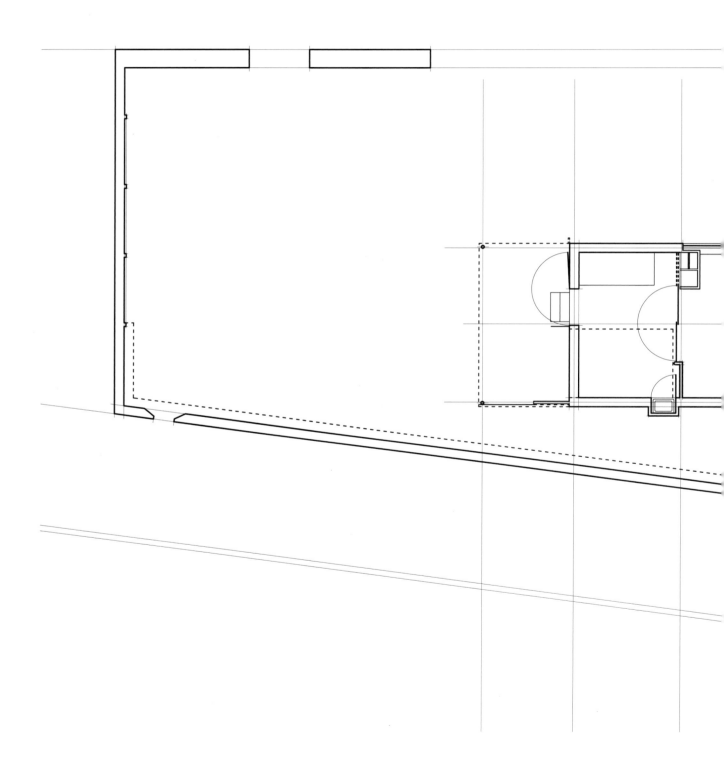

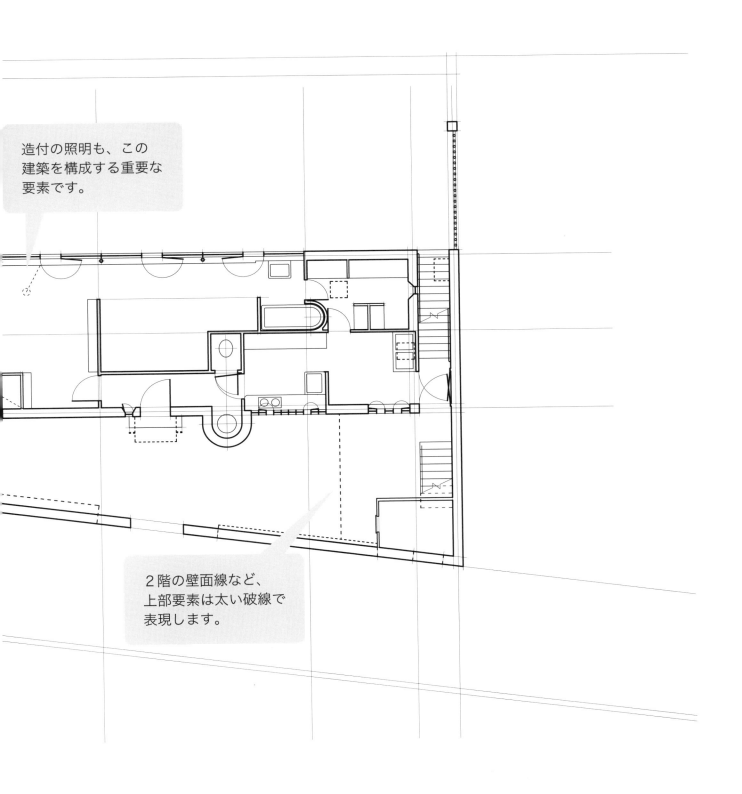

造付の照明も、この
建築を構成する重要な
要素です。

2階の壁面線など、
上部要素は太い破線で
表現します。

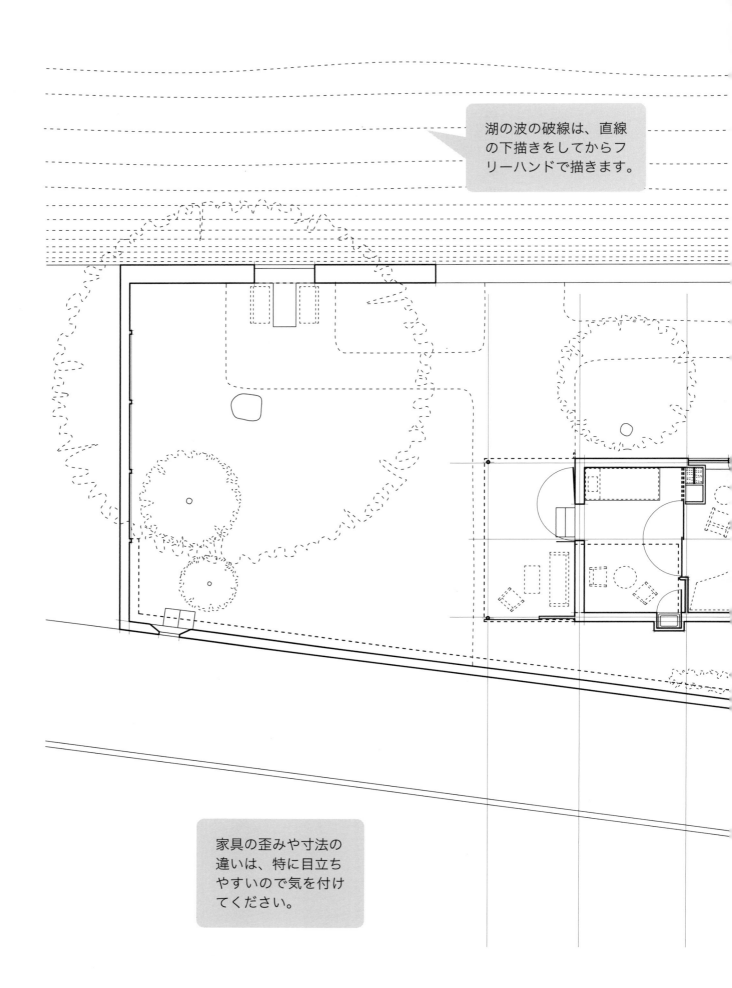

湖の波の破線は、直線
の下描きをしてからフ
リーハンドで描きます。

家具の歪みや寸法の
違いは、特に目立ち
やすいので気を付け
てください。

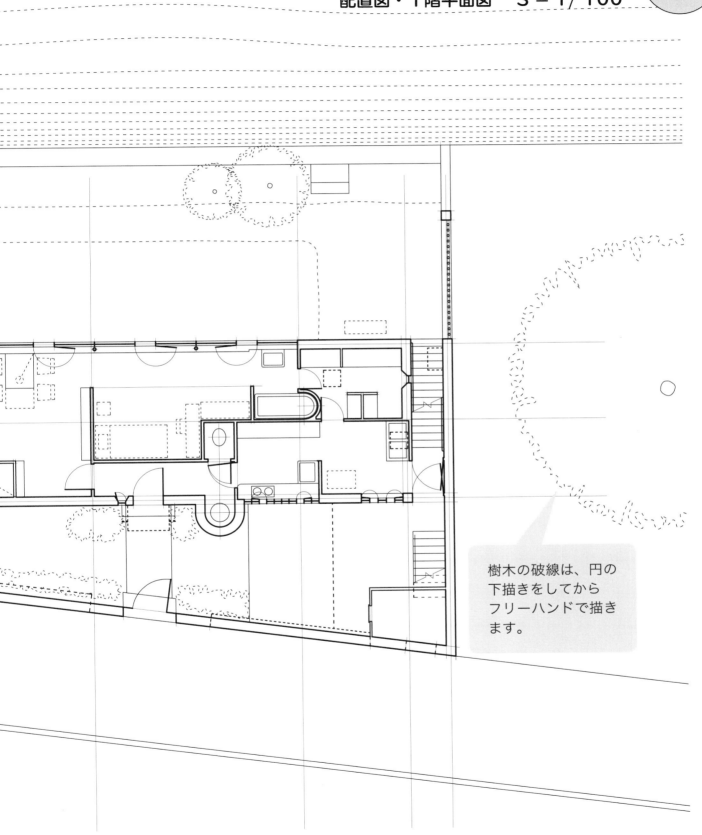

樹木の破線は、円の
下描きをしてから
フリーハンドで描き
ます。

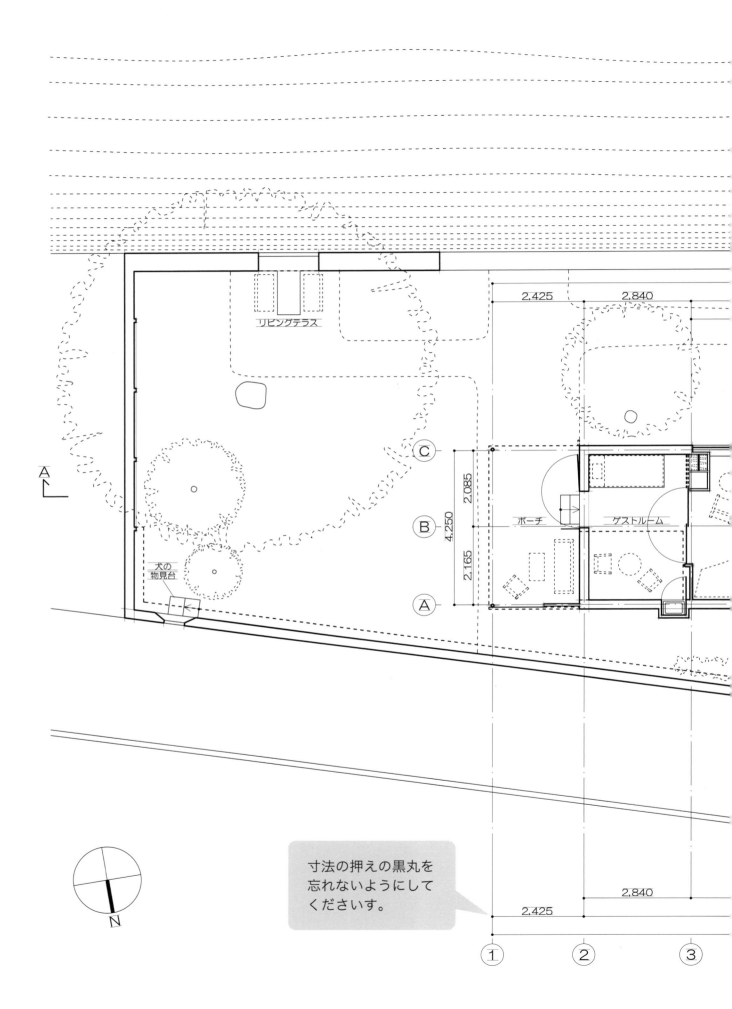

リビングテラス

C

B

A

2,085

4,250

2,165

2,425

2,840

ポーチ

ゲストルーム

犬の
物見台

A

N

2,840

寸法の押えの黒丸を
忘れないようにして
ください。

2,425

① ② ③

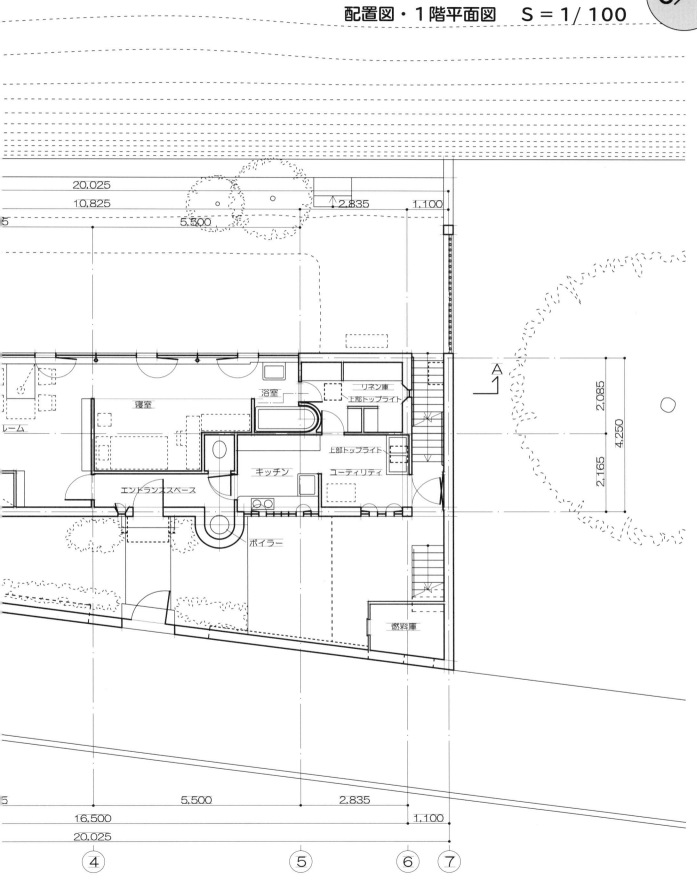

常に、巻末の折込図面も見ながら
進めてください。

ページの折り目をまたぐ寸法は、
折込図面で確認してください。

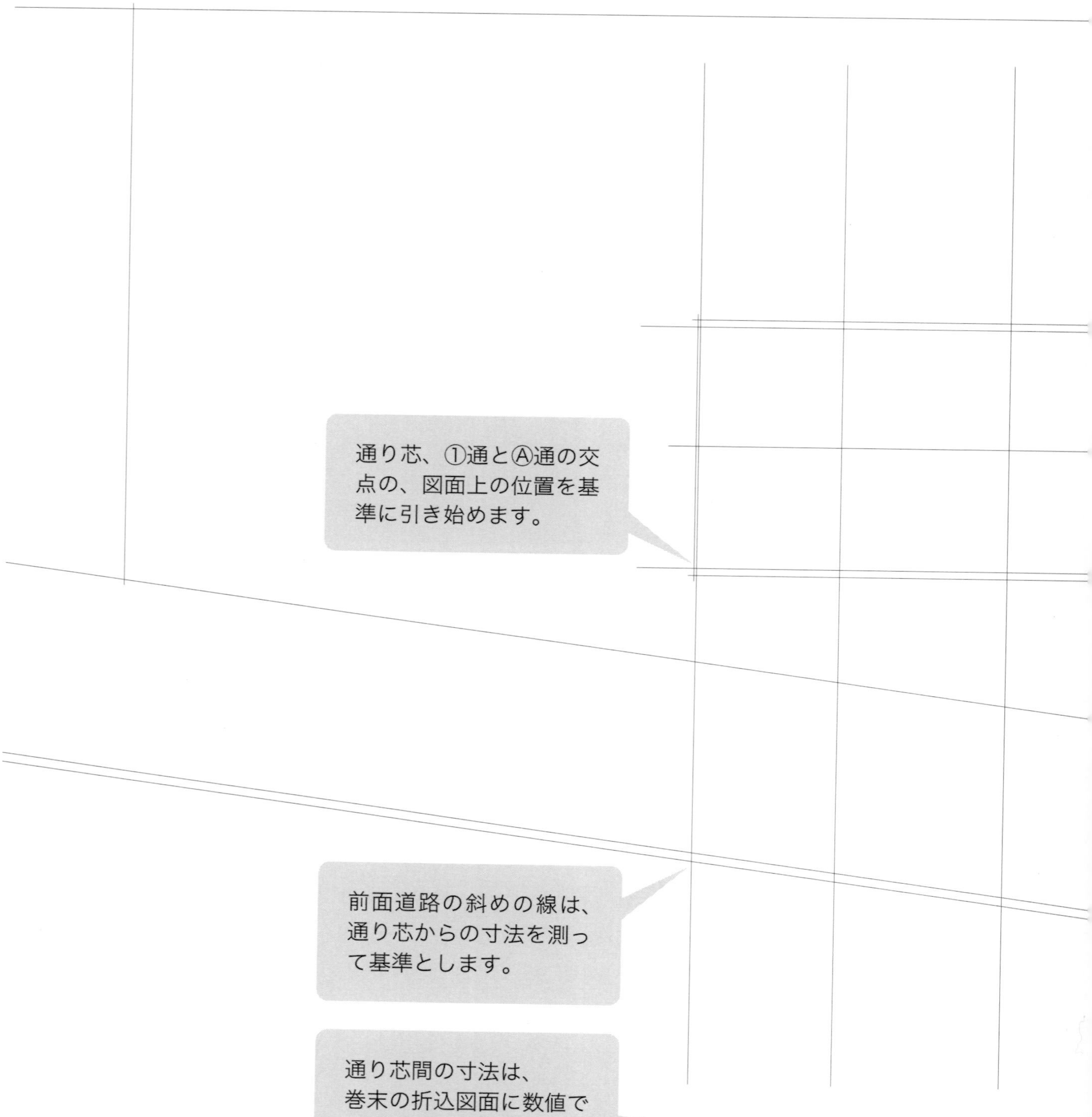

通り芯、①通と④通の交
点の、図面上の位置を基
準に引き始めます。

前面道路の斜めの線は、
通り芯からの寸法を測っ
て基準とします。

通り芯間の寸法は、
巻末の折込図面に数値で
示されているので、
そのまま写し取ります。

1：基準線、壁、開口部の順に下描き

2階平面図　S＝1/ 100

1／6

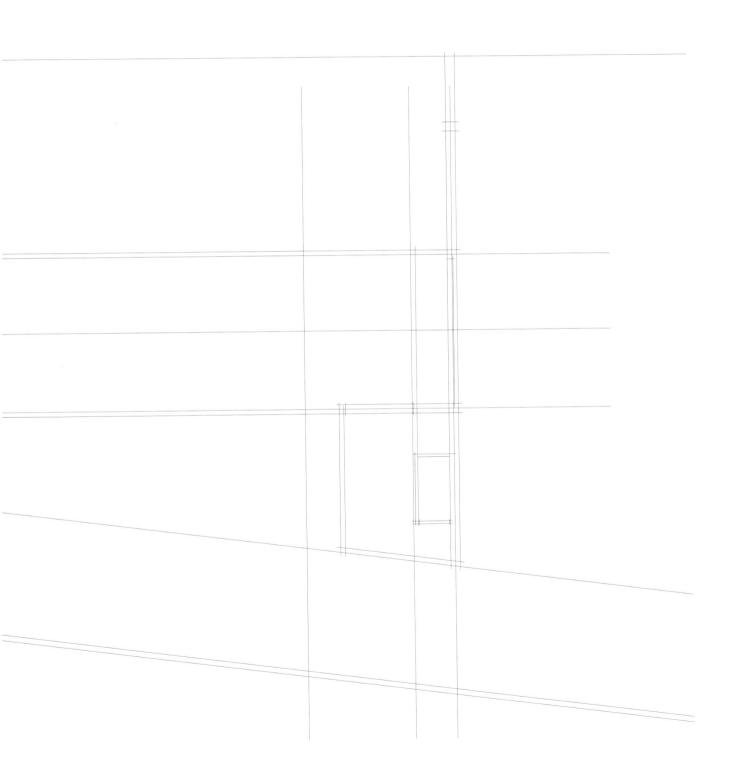

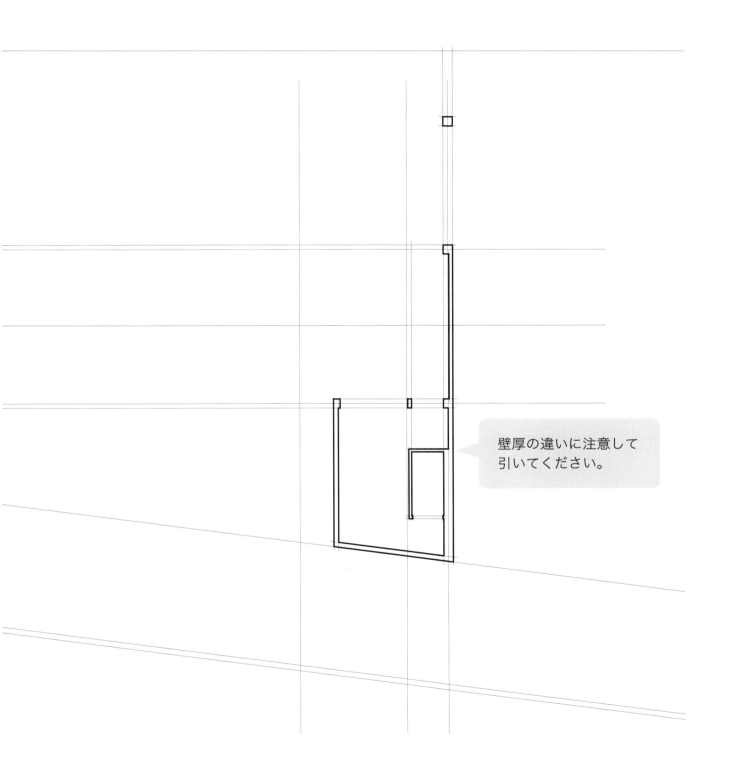

壁厚の違いに注意して
引いてください。

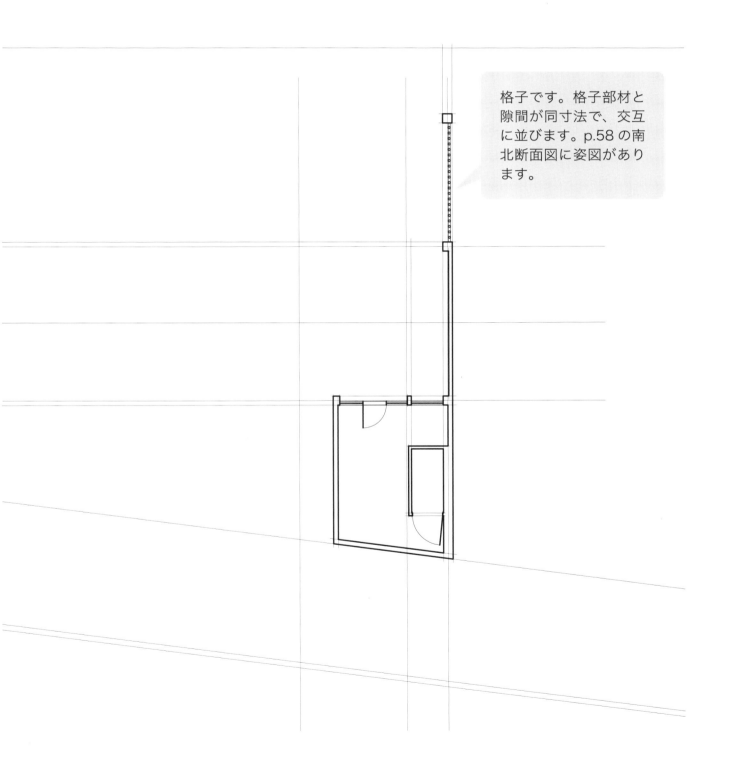

格子です。格子部材と隙間が同寸法で、交互に並びます。p.58 の南北断面図に姿図があります。

雨水の水抜きが出て
います。

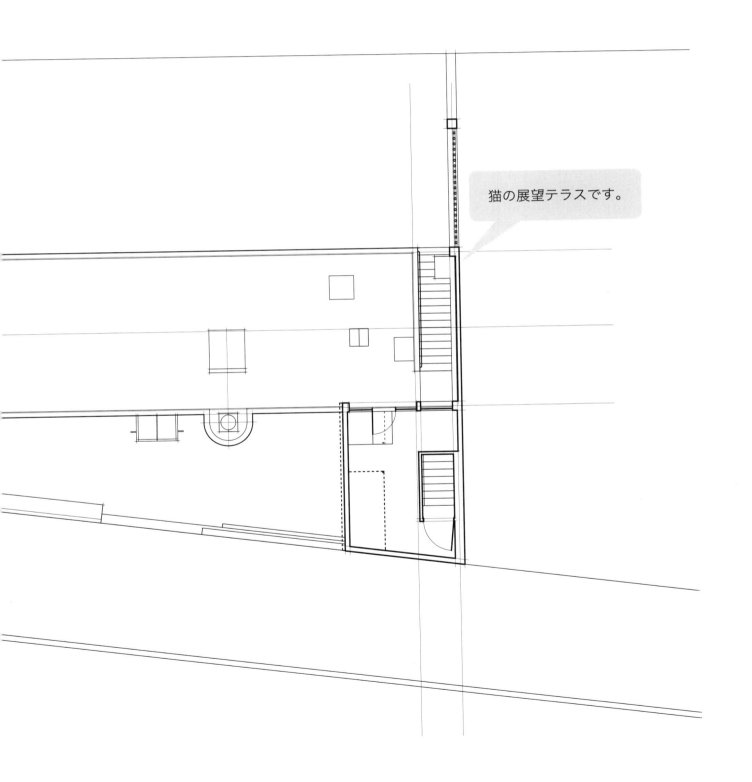

猫の展望テラスです。

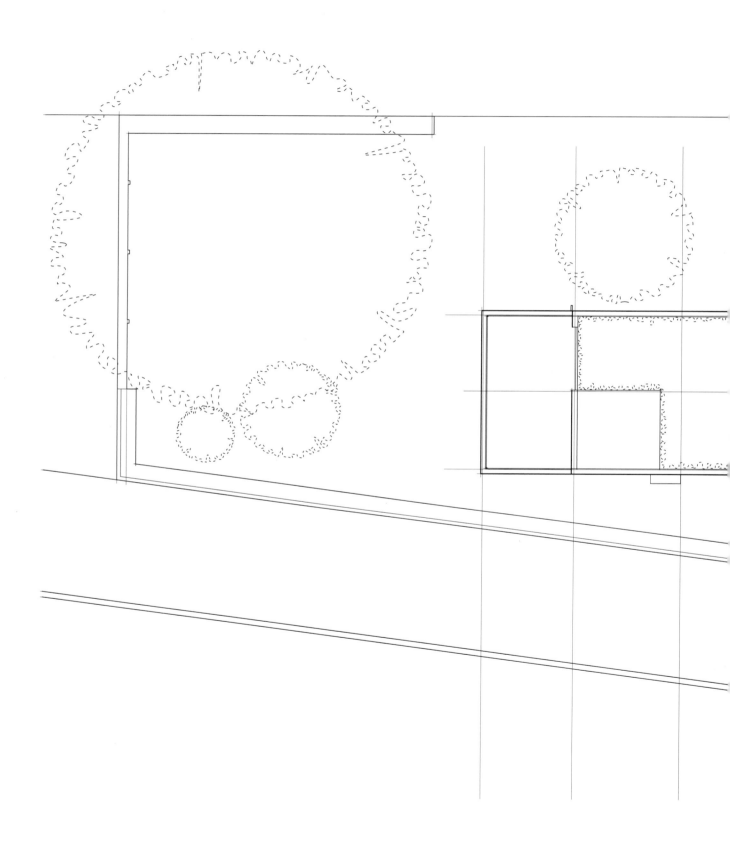

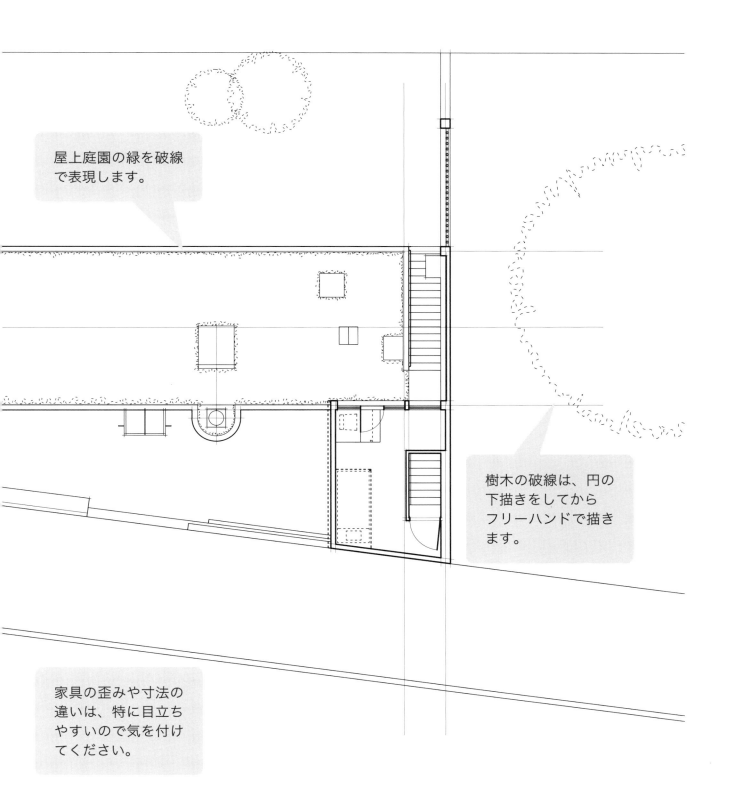

屋上庭園の緑を破線で表現します。

樹木の破線は、円の下描きをしてからフリーハンドで描きます。

家具の歪みや寸法の違いは、特に目立ちやすいので気を付けてください。

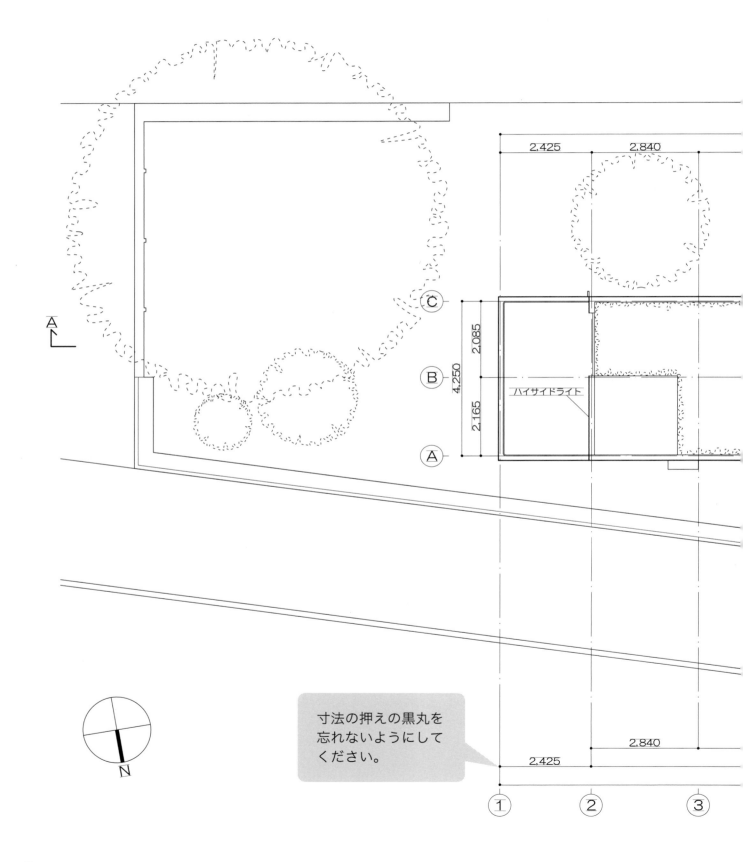

ハイサイドライト

寸法の押えの黒丸を
忘れないようにして
ください。

2,425   2,840

4,250   2,085
         2,165

2,425   2,840

① ② ③

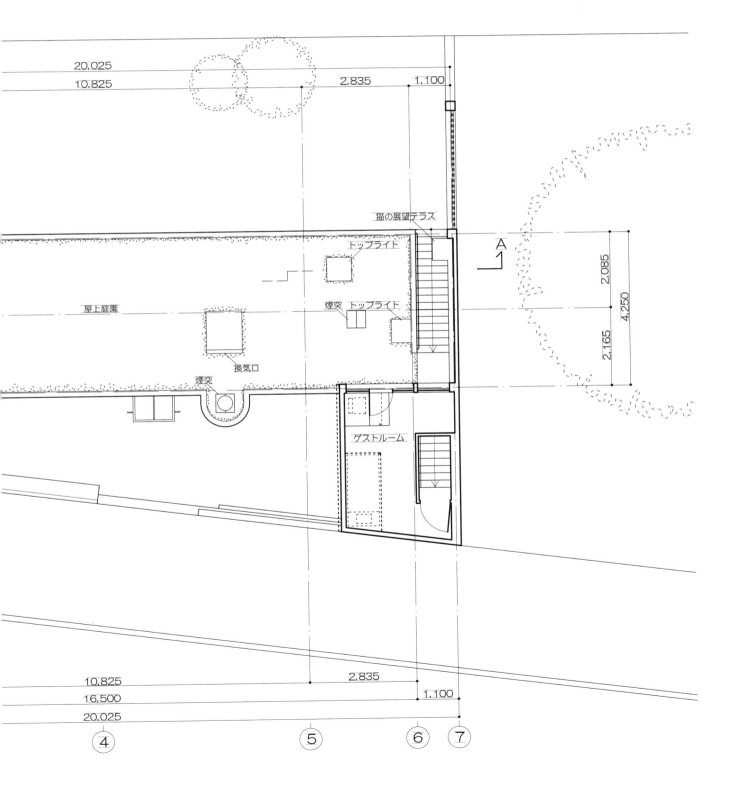

浴室とリネン庫につながる扉：浴槽から湖の風景が見える。

2階ゲストルームへの階段：秘密基地へつながる階段のような雰囲気を持つ

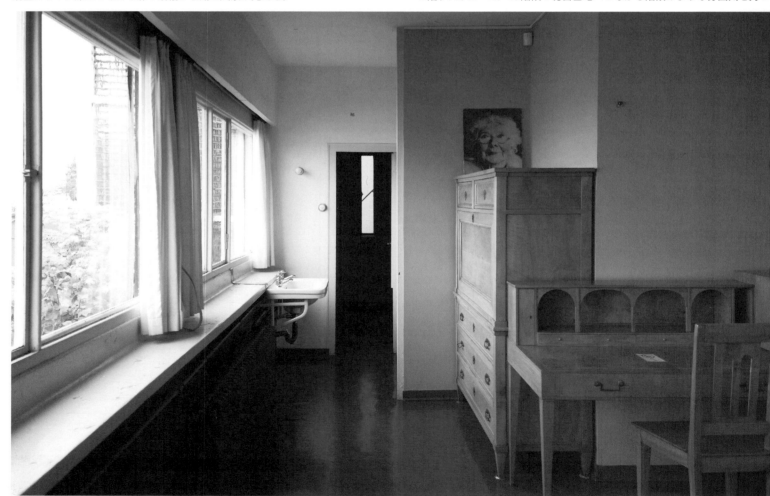

寝室から浴室、奥のリネン庫を見る：リネン庫のスリット窓で屋上庭園に上がる階段へ視線が抜ける。

リビングルームの造付の棚と照明：機能的な家具と照明器具が多様な場をつくりだしている。

常に、巻末の折込図面も見ながら
進めてください。

ページの折り目をまたぐ寸法は、
折込図面で確認してください。

通り芯、①通と地盤線と
の交点の、図面上の位置
を基準に引き始めます。
巻末の折込図面で確認し
て始めて下さい。

普通、外構は最後に描き
ます。この作品では、建
築本体の壁と一体の構成
になっているため、壁と
同時に仕上げます。

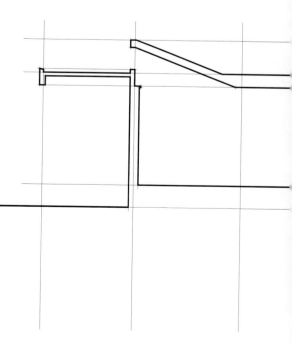

1：基準線、地盤、床、屋根、壁、開口部の順に下描き

東西断面図　S＝1/100

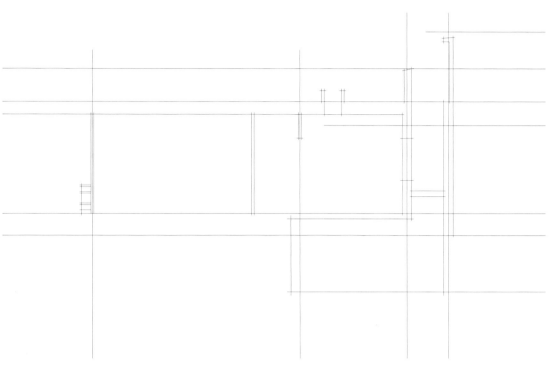

1/4

2：地盤、床、屋根、壁

東西断面図　S＝1/100

2/4

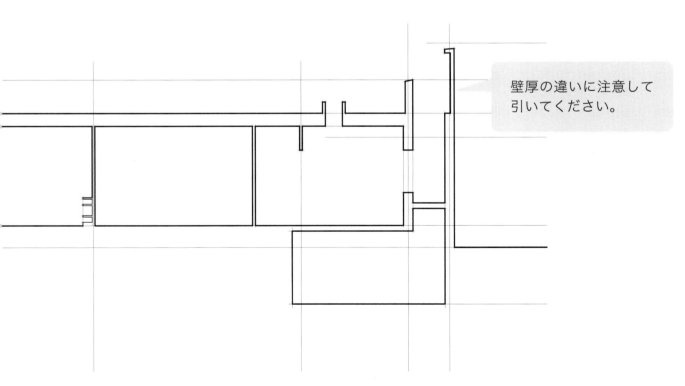

壁厚の違いに注意して
引いてください。

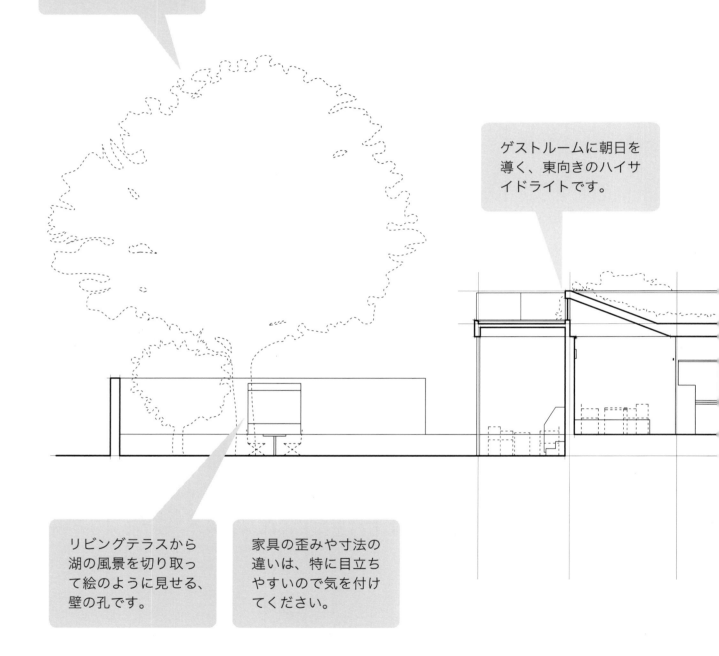

樹木の破線は、円の
下描きをしてから
フリーハンドで描き
ます。

ゲストルームに朝日を
導く、東向きのハイサ
イドライトです。

リビングテラスから
湖の風景を切り取っ
て絵のように見せる、
壁の孔です。

家具の歪みや寸法の
違いは、特に目立ち
やすいので気を付け
てください。

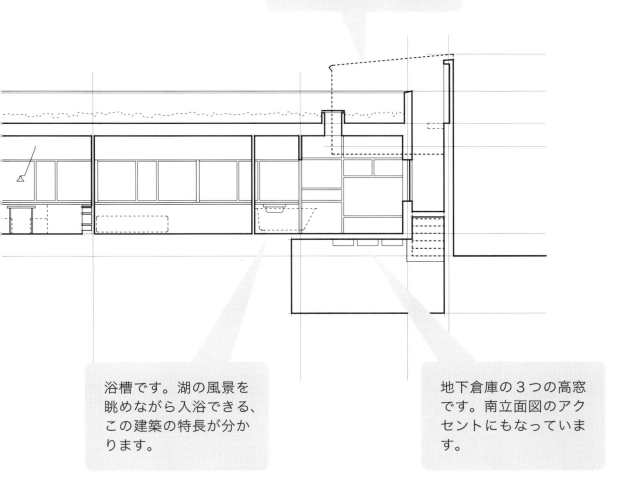

断面の手前にある2階の
部分を太い破線で表現し
ます。

浴槽です。湖の風景を
眺めながら入浴できる、
この建築の特長が分か
ります。

地下倉庫の3つの高窓
です。南立面図のアク
セントにもなっていま
す。

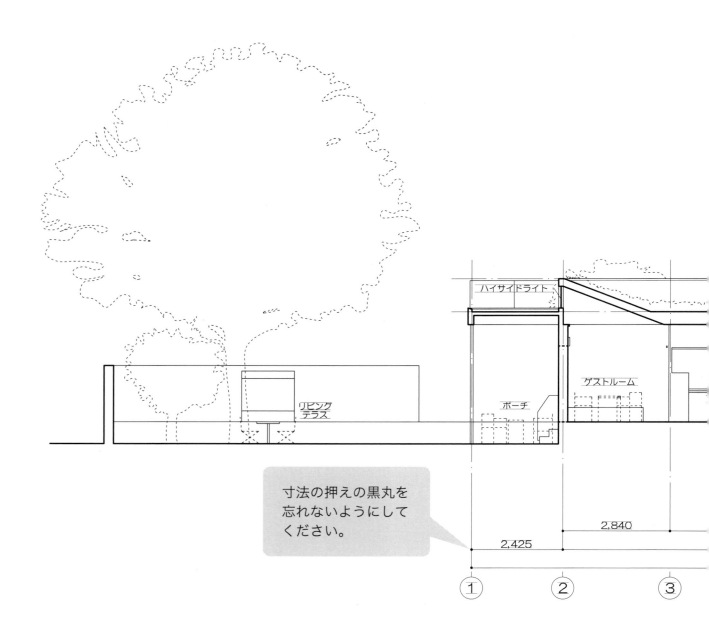

ハイサイドライト

ゲストルーム

ポーチ

リビング
テラス

寸法の押えの黒丸を
忘れないようにして
ください。

2,840

2,425

① ② ③

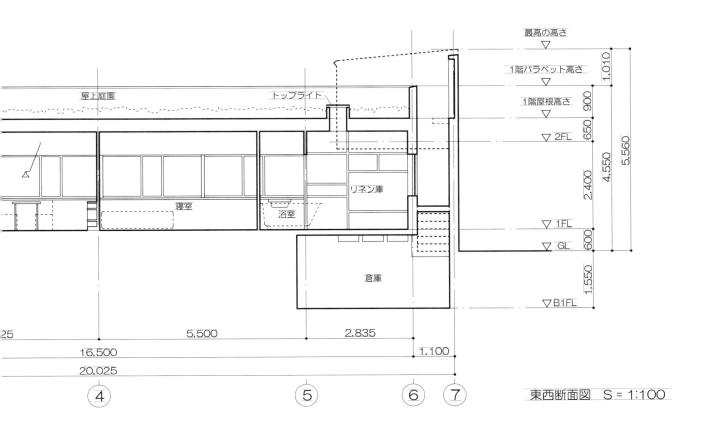

東西断面図　S＝1:100

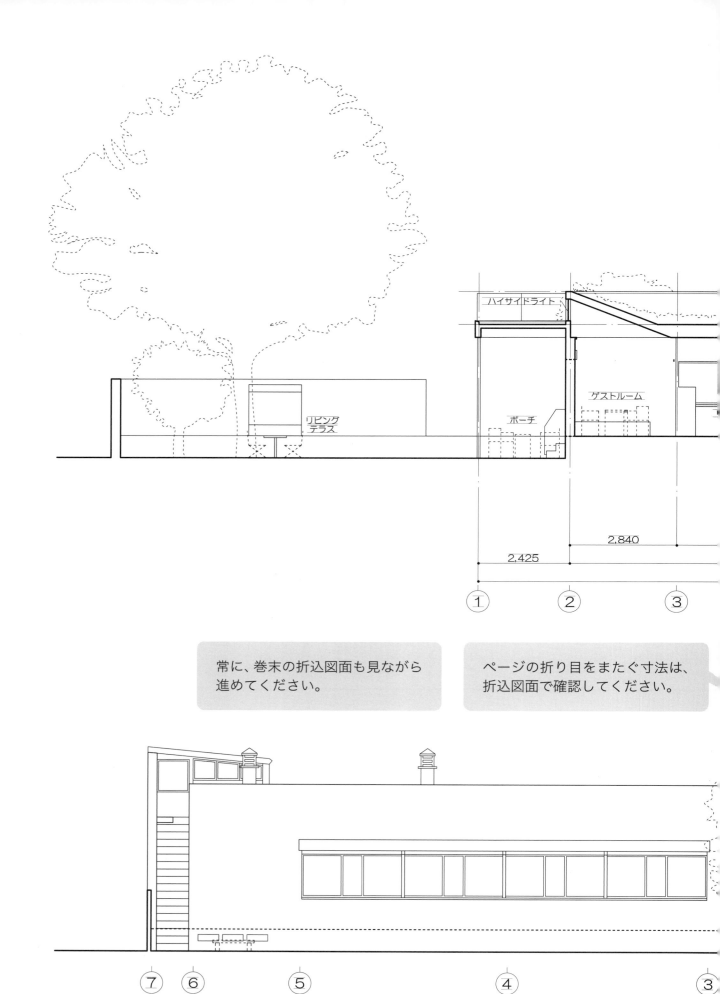

ハイサイドライト

ゲストルーム

ポーチ

リビング
テラス

2,840

2,425

① ② ③

常に、巻末の折込図面も見ながら
進めてください。

ページの折り目をまたぐ寸法は、
折込図面で確認してください。

⑦ ⑥ ⑤ ④ ③

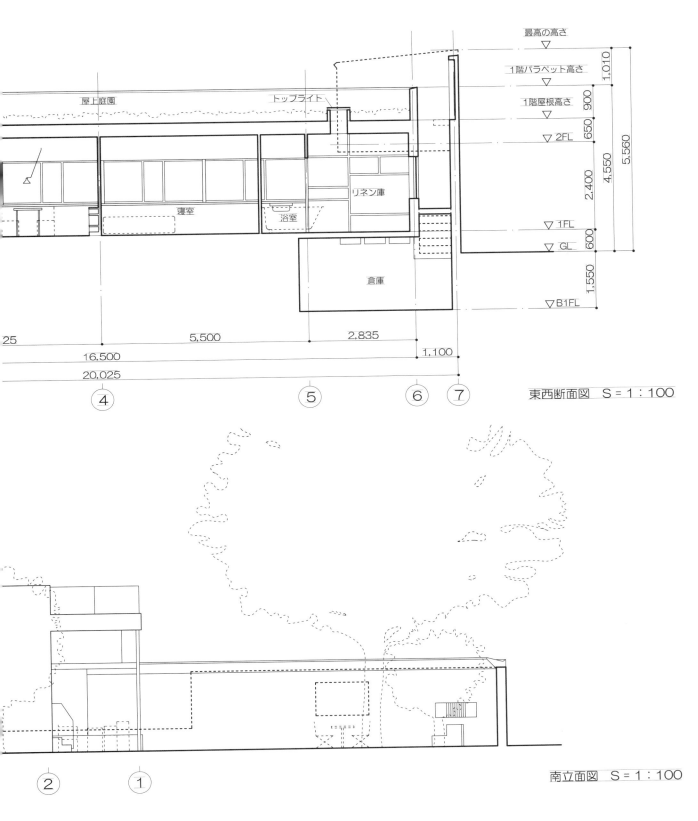

最高の高さ ▽

1,010

1階パラペット高さ ▽

屋上庭園　　　　　　　　　　　　トップライト

900

1階屋根高さ ▽

650

▽ 2FL

5,560

4,550

2,400

寝室

リネン庫

浴室

▽ 1FL

600

▽ GL

倉庫

1,550

▽ B1FL

25

5,500

2,835

16,500

1,100

20,025

④　　　　　　　　　⑤　　　　　⑥　⑦

東西断面図　S＝1：100

②　　　①

南立面図　S＝1：100

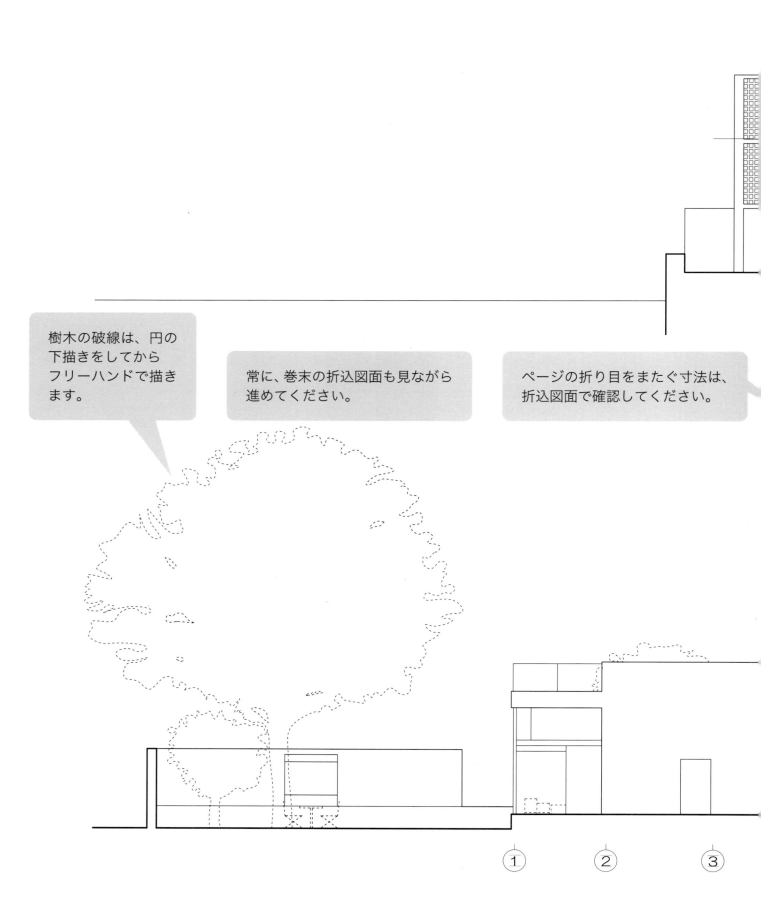

樹木の破線は、円の
下描きをしてから
フリーハンドで描き
ます。

常に、巻末の折込図面も見ながら
進めてください。

ページの折り目をまたぐ寸法は、
折込図面で確認してください。

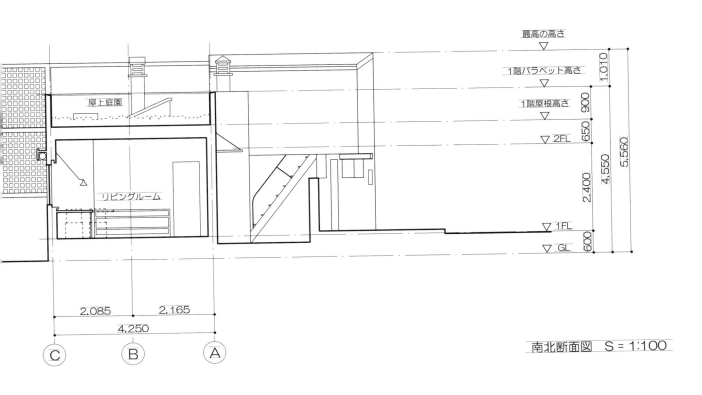

屋上庭園

リビングルーム

最高の高さ ▽

1階パラペット高さ ▽   1,010

1階屋根高さ ▽   900

▽ 2FL   650

4,550   5,560

2,400

▽ 1FL

▽ GL   600

2,085   2,165

4,250

Ⓒ   Ⓑ   Ⓐ

南北断面図　S = 1:100

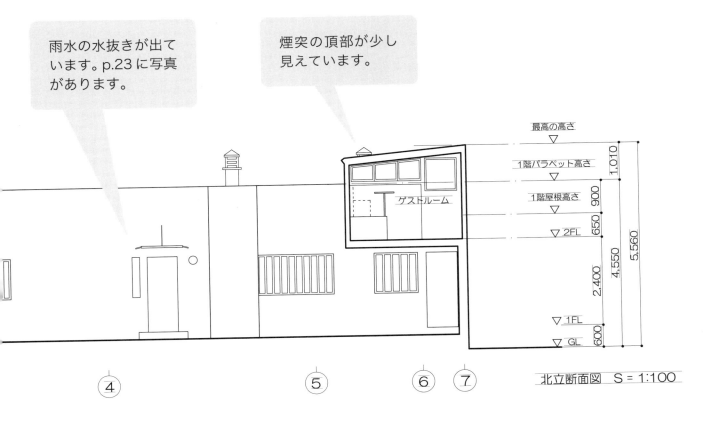

雨水の水抜きが出ています。p.23 に写真があります。

煙突の頂部が少し見えています。

ゲストルーム

最高の高さ ▽

1階パラペット高さ ▽   1,010

1階屋根高さ ▽   900

▽ 2FL   650

4,550   5,560

2,400

▽ 1FL

▽ GL   600

④   ⑤   ⑥ ⑦

北立断面図　S = 1:100

小さな家　2階ゲストルーム内観：台に上がると、屋上庭園越しに湖の風景が広がる。

第 3 章

模型製作：小さな家

建築模型について

　建築模型では、**実際の建築作品をある程度抽象化して表現**することが必要です。**実際の素材感や色などをそのままリアルに表現すると、ジオラマのようになってしまい、建築作品の空間構成などが逆に伝わりにくくなる場合がある**ので注意が必要です。

　一方で、窓の桟の幅、手摺の太さ、家具の大きさなど、**特に人に近い部分の細部の寸法を正確に作る**ことが重要です。それらが、建築模型の印象に大きく影響します。

　また、建築模型は建築図面ほどルールが厳密ではありません。各自、表現を工夫し、楽しんで進めてください。

模型製作の用具

　建築模型製作の用具も、製図用具と同様に、大切に扱い、愛着を持てるもので進めるべきです。また、カッターや、スプレーのり、のように扱いによっては、**危険であったり、机や床を傷める恐れがある**ものもあるので、後述の説明をよく読んで作業を進めてください。

カッターマット

　カッターを使用する際、必ずカッターマットを机の上に敷いて使用してください。小さな家の模型作成には、Ａ３以上の大きさのカッターマットを薦めます（**図01**）。カッターで机や製図台を傷付けないよう気をつけて作業してください。

カッター

　模型製作には、30°刃のカッターを用いる必要があります。右の写真のように、一般のカッターは45°刃です。模型製作の細かい作業が30°刃で可能になります（**図03**）。

　また、カッターの刃はしばらく使用すると切れ味が鈍ります。後述のスチレンボードを切る際に引っ掛かりが出て**切り口がシャープでなくなったら刃を折って更新**してください。また、**折った刃は危険ですから、そのまま置いたりせず、専用の缶などを用意してその都度入れ、最後は密閉して処理してください。**

金属定規とスコヤ

　金属定規は、カッターで素材を切る際に使用します（**図04**）。プラスチック製の定規でカッターを使うと定規に傷がつき、きれいに線が引けなくなるためです。また、**模型に使用する部材の側に金属定規を当ててカットしてください。**金属定規は、使う部材側にカッターがずれて**余計にカットすることを防ぐ防御板の役割**も持ちます。

　スコヤは、簡単に直角に部材をカットすることができる、金属定規の一種です（**図05**）。

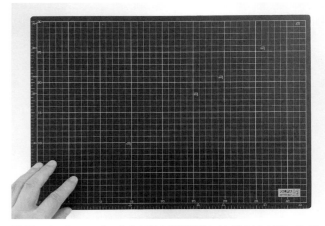

図01　カッターマット。小さな家の模型製作にはA3以上が使いやすい。

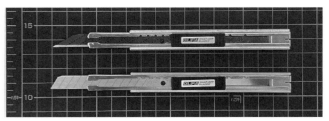

図02　上から30°刃カッター（黒刃）、45°刃カッター（通常刃）。模型製作には30°刃カッターを用いる。30°刃であれば、黒刃でも通常刃でも良い。黒刃は鋭い一方、頻繁に更新する必要がある。

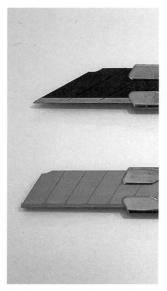 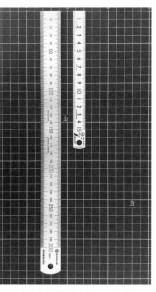

図03　カッターの刃の先端。上から30°刃、45°刃

図04　金属定規。30cmと15cmを部材の大きさで使い分ける。

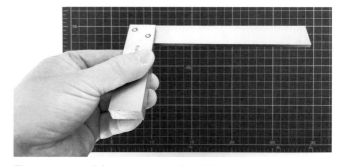

図05　スコヤ。直角にカットできる金属定規。

模型製作の材料

スチレンボード

建築模型で最も良く使う材料がスチレンボードです。**高密度の発泡スチロール板の両面に上質紙を張った素材**です（**図06**）。小さな家では、土台や外壁など、大半に 3 mm 厚のスチレンボードを用います。550 × 800 のもの 1 枚あればやや余裕を持って製作できます。さらに、薄い内壁や家具用に 1 mm 厚のものが少量必要です。

図06　スチレンボード。1 mm 厚と 3 mm 厚。

透明アクリル板

透明アクリル板はいろいろな厚みがありますが、今回、**小さな家では、0.5 mm 厚のものを、窓ガラスと湖の水面に使います**（**図07**）。

他に似た素材として、透明プラ板、透明ポリカーボネイト板があります。小さな家の窓ガラスに必要なきれいな透明感と、湖面の反射や映り込みの表現には 0.5 mm の透明アクリル板が最適です。

図07　透明アクリル板 0.5 mm 厚。透明であるだけでなく、映り込みの効果を持つ。

プラ棒

プラスチックの棒です。いろいろな太さのものがあります（**図08**）。今回は、**ポーチの柱と横長連続窓部分の柱用に、径 1 mm 丸棒**を用います。また、必須ではありませんが、ポーチ上部の手摺をつくる場合は径 0.5 mm 程度の丸棒が適します。

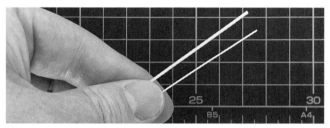
図08　プラ棒。径 1 mm 丸棒と径 0.5 mm 丸棒。

バルサシート

木材のシートです（**図09**）。必須ではありません。**家具に用いると、質感がスチレンボードの白とコントラストができつつ、調和して、模型の表現のレベルが上がります。**1 mm 厚程度のものが適します。

図09　バルサシート 1 mm 厚。木の質感が模型の雰囲気を高める。

スチノリ

スチレンボード用の接着剤です。（**図10**）スチレンボードだけでなくアクリル板や、プラ棒の接着にも使います。

スプレーのり、クリーナー

図面のコピーをスチレンボードに張って、カットするのにスプレーのりを使います（**図10**）。スプレーのりは、接着力に種類がありますが、**張ってはがせるタイプ（3M55など）**を用います。

スプレーのりは周囲に飛んで床などが汚れますから、必ず、新聞紙やブルーシートなどを敷いて用いてください。

スプレーのりで、図面のコピーを張って、はがすと、ボードにのりが残ってベタベタします。そのままにしておくと埃が付着したりして汚れるので、それをクリーナーで拭き取ります。但し、後で、接着されて表に出なくなる面のスプレーのり、の残りはそのままで大丈夫です。

図10　左からスチノリ、スプレーのり 3M55、クリーナー 3M20。スプレーのり、クリーナーは小さい缶のものもある。

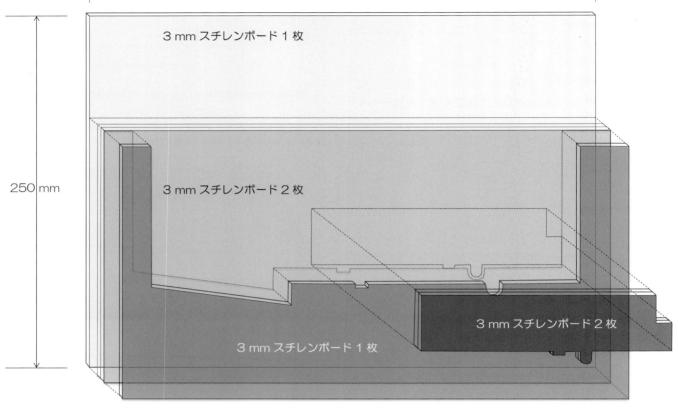

350 mm

250 mm

3 mm スチレンボード 1 枚

3 mm スチレンボード 2 枚

3 mm スチレンボード 1 枚

3 mm スチレンボード 2 枚

図 11　土台の構成

模型製作の詳細

カッターの使い方

　カッターマットとカットする部材に正体してカッターをできるだけ真っ直ぐに立てて引くのは、図面を引くときと同じです。また、基本、図面の線は横に引くのとは異なり、**縦に引きます**。

　力を入れ過ぎずに何度もカッターを引いてカットすることできれいに切れます。この点図面の線を一度で引き切るのとは対照的です。

　このカット法はバルサシートなど、他の素材でも基本は同じです。また、**0.5 mm厚のアクリル板は数回カッターで切込みを入れ、切込みを山方向にして折ると、きれいな切断面でカットできます**。

スチレンボードの切断面

　模型の印象は、**スチレンボードの切断面の正確さと、美しさで大きく変わります**。カッターを左右に傾けないように引くと切断面がボード面に垂直になり、こまめに刃を折って更新して使うことで、美しい切断面が得られます。

土台部分から始める

　ここまでの説明で、土台部分のスチレンボードを切り出すことができます。概要は上の図（**図11**）、平面図と関係

は右上の図（**図12**）を見て切り出してください。切り出したら、一度合わせてみた上で、**土台の長方形で同型の2枚、建物本体の同型の2枚のみをそれぞれ張り合わせてください**。スチノリは全面に塗らず接着後はみ出ないよう少なめに塗ります。

スチレンボードの紙残し

　土台のエッジや、壁の立ち上がり上端などには、スチレンボードの断面が表れます。一方、**右上の図に破線の円で示した出隅は、目立つ場所なので、スチレンボードの断面を見せない方がすっきりした印象になります**。

　この場合紙残しをしてスチレンボードをカットし、**接着する**ことで、スチレンボードの断面が表れず、きれいに仕上がります（**図18**）。破線の円＋Kの部分はボードを斜めにカットする必要があります。**一度、普通にカッターで表の紙を切った後、カッターを角度をつけて固定し、定規に添わせて動かし、カットします**。

スチレンボードで曲面をつくる

　右上の図に太破線の円で示したボイラー部分の外壁は、曲面壁になり、この模型で最も加工が難しいところです（**図22**）。**スチレンボードに均等な間隔で直線の切り込みを入れると蛇腹状に曲げる**ことができます（**図23**）。外側は切込部に隙間ができるので、**別のスチレンボードの紙をはがして、スチノリで張ります**（**図24**）。

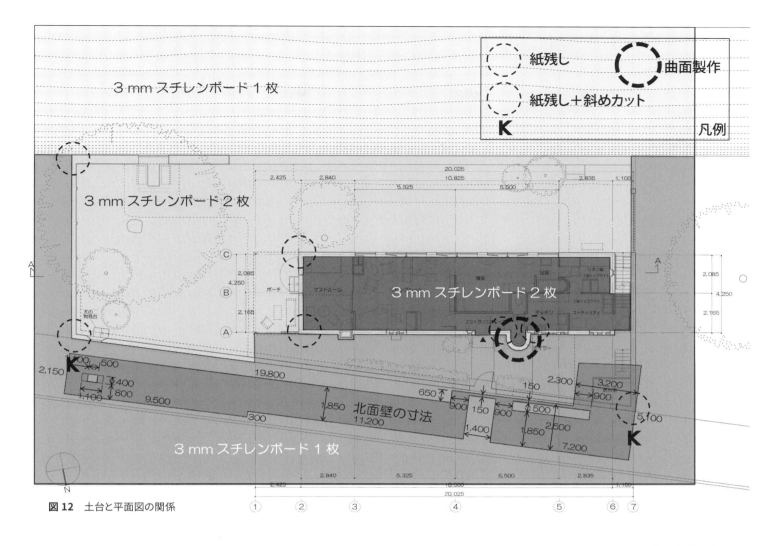

凡例

- ⬭ 紙残し
- ⬭ 紙残し＋斜めカット
- Ｋ
- ⭕ 曲面製作

３mm スチレンボード１枚

３mm スチレンボード２枚

３mm スチレンボード２枚

３mm スチレンボード１枚

北面壁の寸法
11,200

図12　土台と平面図の関係

図13　スチレンボードの紙残し
❶相手の厚みをプロット。

図14　スチレンボードの紙残し
❷下の紙を残してカット。

図15　スチレンボードの紙残し
❸紙と芯材の間をカット。

図16　スチレンボードの紙残し
❹カットが完了。

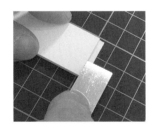

図17　スチレンボードの紙残し
❺芯材の残りを削り取る。

図18　スチレンボードの紙残し
❻合わせて確認後、接着。

図19　スチレンボード斜めカット
❶表の紙のみカット。

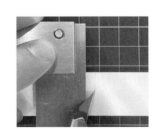

図20　スチレンボード斜めカット
❷カッターを斜めに固定。

図21　スチレンボード斜めカット
❸角度を保持してカット。

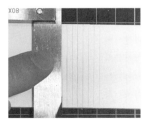

図22　スチレンボード曲面製作
❶等間隔で切り込み。

図23　スチレンボード曲面製作
❷蛇腹状に曲げる。

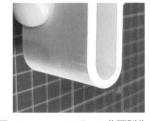

図24　スチレンボード曲面製作
❸外側に紙を張る。

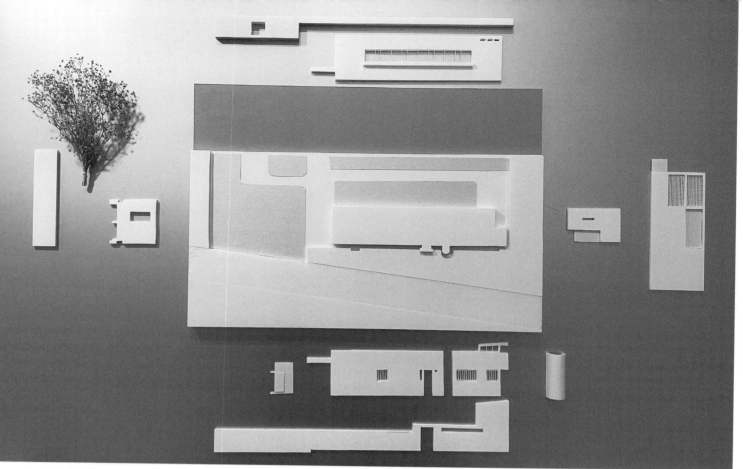

主要模型部材 全体写真

断面図・立面図で壁高さを読み取る

断面図を見てください（p.55）。GL（地盤レベル）と1FL
（1階床レベル）の差が600です。1/100では6mm、
前のページで、床を3mmボード2枚（6mm）とした理
由です。また、**外壁高さは基本45.5mmになる**ことが分
かります。よって、南立面図の建物本体はこのまま切り抜
けば良く、**北断立面図は、GLに水平線を引いて壁をそこ
までの大きさにして、土台に埋まる分を確保します。**

西側の壁・東側の壁

ほとんどの外壁は250ですが、3mmボードで作成しま
す。製図と異なり、**模型は寸法に正確でありながら、適宜、
単純化して製作**する必要もあります。

西立面図はありませんが、南北断面図を見ると大きさと格
子の位置が分かります（**図25**）。**西側の壁は完全な長方形で、
2階ゲストルームの屋根仕上材が上に載るかたちになりま
す。**2階平面図を見ると西側の壁厚が薄い部分がありますが、
ゲストルーム部分は3mmで問題ありません。ゲストルーム
の東の外壁は150厚なので1mmボードで製作してくださ
い。猫の展望テラスに続く部分は、3mmボードのままとす
るか、切り抜いて1mmボードをはめ込んでください。**格子
は、右上のプロセス写真2（図26）のように、アクリル板に
けがき線を入れるか、0.5mm幅のマットテープを張って
製作**してください。

東側、ポーチに面した外壁は、立面図がありませんが、

壁にある扉は、1階平面図で平面形、東西断面図で高さが
分かります。このように**模型を製作するには、複数の図面
を見比べて読み取る**ことが必要になります。また、本書に
掲載の現地写真、著名な建築作品であるため、ネット上に
たくさんの写真が出ていて、詳細を知るのに役立ちます。

パラペットの厚みと屋根

2階平面図、東西断面図を見てください。**屋上庭園を囲
むように900の高さの壁が立ち上がっています。これを
パラペット**といいます。厚みは150ですが、1階の外壁と
パラペットを3mmボードで一体につくるので、**屋上庭園
や、ポーチの屋根は、2階平面図の外壁の外側のラインか
ら内側に3mmのところに線を入れてカット**してください
（**図27**）。

また、換気口の形は、南北断面図と、p.21の左上の写真
で確認してください。

屋上庭園になっている屋根は、躯体部分が350厚で、芝
生が250程度でその上に載りますので、**芝を表現する素材
の厚みにもよりますが、3mmボード2枚を重ねるのが適
切**です。

緑化の芝の表現にはいくつかの方法があります。まず、
1.白に近いペパーミントグリーン、明るいグリーングレー、
明るいグレーなどの画用紙等の紙を張る方法、これは、**穏
やかな色で白いボードと差をつける表現**です。2.白いマー
メイド紙など質感のある紙を張る方法、これは、**質感でボー
ドと差をつける表現**です。また、1と2の組合せで**白に近**

図25 模型製作プロセス写真1
西側の壁。

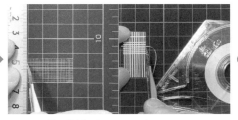

図26 模型製作プロセス写真2
格子。左：けがき線、右：マットテープ。

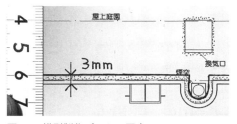

図27 模型製作プロセス写真3
パラペットの厚み。3mm とする。

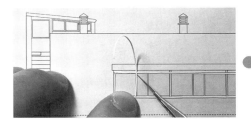

図28 模型製作プロセス写真4
両面テープで紙をアクリル板に張る。

図29 模型製作プロセス写真5
マットテープをアクリル板に張る。

図30 模型製作プロセス写真6
左から、リネン庫の西壁、ポーチ北壁。

図31 模型製作プロセス写真7
水面アクリル板は1cm程度ボードで挟む。

図32 模型製作プロセス写真8
芝生は壁・土台の固定前が張りやすい。

図33 模型製作プロセス写真9
樹木はカスミソウを束ねる。

い穏やかな色と、質感の両方で白いボードと差をつける表現もあります。

市販の芝シートを使う方法もありますが、色が強すぎて芝が必要以上に目立ってしまうため、薄い色のものを選んだ上で、白のスプレーを軽く吹いて白いボードとのコントラストを抑える等の工夫が要ります。

窓のサッシの表現

横長連続窓をはじめ、全ての窓はガラスがサッシにはめ込まれています。**サッシの表現は、先に両面テープを張って、サッシ幅に細くカットした紙を、アクリル板を図面に置いて、サッシの位置に張る方法があります**（**図28**）。格子の項で説明した、**白の0.5mm幅のマットテープを張る方法もあります**（**図29**）。サッシの幅をできるだけ図面に合わせ、太くならないようにしてください。

その他外部の壁

1階平面図、リネン庫と階段の間の壁にはスリット窓があります。その高さは東西断面図に出ています。ユーティリティーの西側に**地下倉庫に行く階段がありますが、地下倉庫も含め、模型で表現する必要はありません。**ユーティリティーと階段の間の壁は図面では75厚ですが、単純化して3mmとしても構いません。屋上の3mmのパラペットに連続します。

ポーチの北側に薄い壁と引き戸があります。図面から理解しにくいので、上の写真に示しました（**図30**）。

内部間仕切り壁

内部間仕切り壁は厚1mmのスチレンボードを用い、天井高2700なので、**27mmの帯状の部材をつくって、平面図に合わせてカットしてください。内部の扉は共通で高さ2050です。**扉の上、天井との間に下がり壁があります。平面図と断面図を見比べて切り出してください。

湖の水面の表現

グレーの上質紙や画用紙の上に**0.5mm厚の透明アクリル板を重ねます。**少し青みのあるグレーを使っても良いですが、鮮やかすぎる青を使うと目立ちすぎて、模型全体の細かい表現に目が行きにくくなるので注意してください。

また、アクリル板はスチノリの接着部が目立ちやすいので、**アクリル板を、段差のボードに少し入れ込むようにしてそこで接着する**のが上手なやり方です（**図31**）。

芝生の表現

屋根の項でも説明しましたが、**水面同様、強すぎる色は避けるべきです。**また、模型全体の印象を決める部分なので、図面通り丁寧にカットしてください（**図32**）。

樹木の表現

白か、抑えた薄緑色のカスミソウを、束ねて用いるのが一般的です。余分な部分をカットしてバランスを整えます（**図33**）。

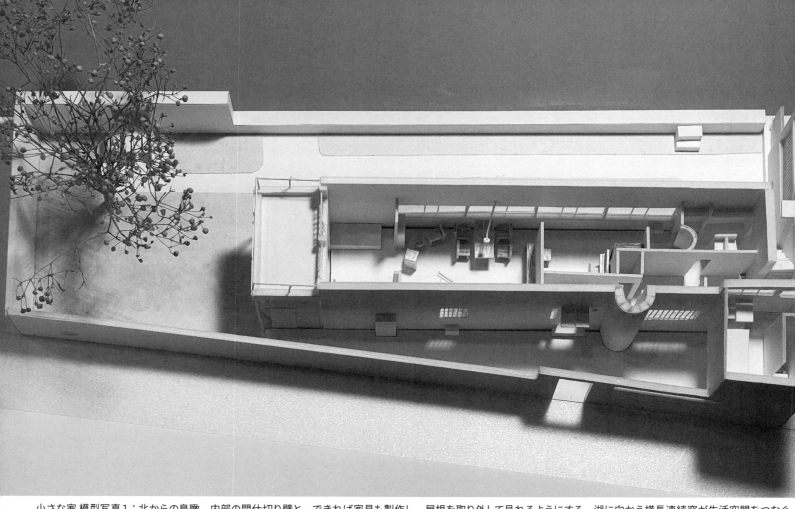

小さな家 模型写真1：北からの鳥瞰　内部の間仕切り壁と、できれば家具も製作し、屋根を取り外して見れるようにする。湖に向かう横長連続窓が生活空間をつなぐ。

家具の表現

　家具を表現すると、空間の雰囲気やスケール感が伝わる模型になります。**家具は細部を省略し、寸法を正確につくってください。**

　実際の建築作品の写真を見ると、木の色が生かされた家具も多く、一方、リビングテラスとポーチの家具などは、白で塗装されています。**1mm厚スチレンボードと、バルサシートを使い分ける**と空間の雰囲気が高まります。

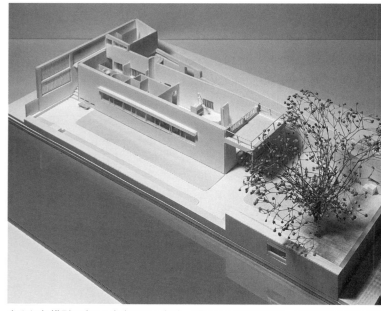

小さな家 模型写真2：南東からの鳥瞰　斜めからの鳥瞰では、垂直線を垂直に通

模型写真の撮影

　模型の提出を、模型写真で行う場合が多くなりました。また、今後、設計演習などで、プレゼンテーションシートに模型写真を入れる場合があります。

　模型写真の撮影は、以下4つのポイントを押さえておくべきです。

1. 模型の背景に余計なものが写り込まないよう、ボード等の白い背景をつくって撮影する。
2. 水平、垂直が歪まないよう撮影、補正する。特に北東や北西からの鳥瞰では垂直線を垂直に通す。
3. 空間の連続性や視線の抜けを強調すると空間の魅力が伝わりやすい。
4. ヴォリュームの立体感や、水面への映り込みを生かすアングルや、光の当て方を工夫する。

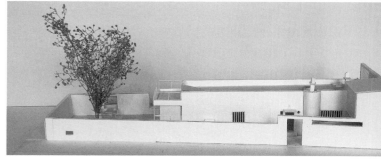

小さな家 模型写真3：北面外観　ボイラーの曲面壁が立面のアクセントになってい

小さな家 模型写真4：東からの鳥瞰　緑化された屋上。

小さな家 模型写真5：北西からの鳥瞰　立体的な空間構成。

小さな家 模型写真6：東からの鳥瞰　内部空間が回遊して連続する構成であることがわかる。

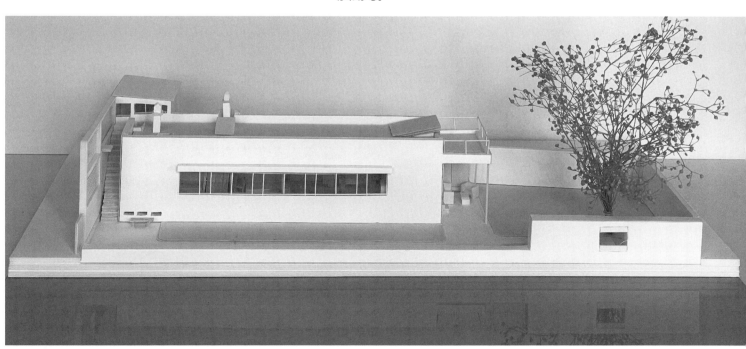

小さな家 模型写真7：南側外観　湖の水面に、建築の姿が映り込む。

小さな家　ポーチ外観：繊細な柱と手摺は旅客船を連想させる。

第4章

ヒルサイドテラス第1期

設計：槇 文彦
代官山、東京、日本
1969 年

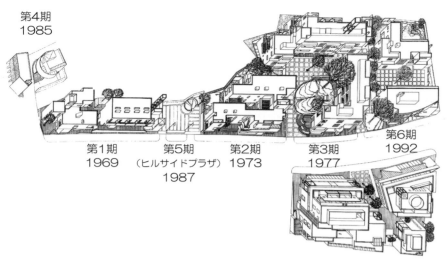

第4期
1985

第1期　第5期　第2期　第3期　　第6期
1969　（ヒルサイドプラザ）1973　1977　　1992
　　　　1987

図 01　ヒルサイドテラス全体配置
　　　（出典：ヒルサイドテラス白書
　　　住まいの図書出版局 1995）

図 02　槇文彦の主著：見えがくれする都市（SD 選書、1980）

作品解説　ヒルサイドテラスを設計した建築家、槇文彦（1928- ）は、現代の日本を代表する建築家です。

　東京大学で、建築家の丹下健三（1913-2005）に学んだ後、アメリカに留学し、当時ハーバード大学で教えていたスペイン出身の建築家、ホセ・ルイ・セルト（1902-1983）に学びました。丹下健三は、多くの作品を残し、日本の現代建築を世界的なレベルにした建築家であり教育者でした。丹下とセルトは共にル・コルビュジエの建築作品や理論から多くを学んだ建築家であり、セルトはル・コルビュジエの事務所で働いた経験もあります。槇文彦は、ル・コルビュジエの影響を、ふたりを通し、また、多様な国の文化のフィルターを介して受けた人といえるでしょう。

　槇文彦の主著に、「見えがくれする都市」（1980）があります。この本の中で彼は、江戸を代表とする日本の都市の魅力を分析しています。

　江戸から歴史を引き継ぐ東京の街路は入り組んでいますが、それにより、歩いていくに従って見える風景が次々に切り替わり、まさに、見えがくれする魅力があります。槇文彦は、これを「奥の思想」という言葉を用いて説明しています。彼は、日本の伝統を引き継ぐ都市の魅力を見直すことによって、都市スケールの現代建築に独自の魅力を与えようとしているのです。また、見えがくれは人の動きによって生じるものであり、ル・コルビュジエのシークエンス（歩いていくに従って見える風景がつぎつぎに切り替わっていくこと）の考え方にも通じるものです。

　「見えがくれする都市」には、日本の伝統につながる建築の構成や細部のデザインの特徴も分析されています。槇文彦の建築作品は、京都国立近代美術館（1986）、幕張メッセ（1989）、MITメディアラボ新館（2009、ケンブリッジ、マサチューセッツ）、フォー・ワールド・トレード・センター（2013、ニューヨーク）など、世界中に実現しており、それらは、繊細かつ端正で、繊細な精神文化とハイテックで丁寧なものづくりを家芸とする現代日本の良いイメージと重なります。

　それらの作品のそれぞれの魅力にも関わらず、槇文彦の代表作として、ヒルサイドテラスが挙げられるのは、この建築作品が、1969 年から 1998 年までの約 30 年間、第 1 期から、第 6 期、さらに第 7 期ともいえるヒルサイドウエストまで、少しずつ、ゆっくりと、建築家がクライアントと共につくってきた彼のライフワークであるからです。また、街路に面して、それぞれの棟は独立しながらも、街路や中庭などでつながることで、全体としての魅力を持つ、

ヒルサイドテラス第1期（A棟・B棟）全景：緩やかな勾配の街路に沿って、街路樹と奥の庭園の緑の間に配置されている。

世界でも他に事例のない、群としての現代建築であるからです。

ヒルサイドテラスが位置する代官山は、東京でも最も洗練されたイメージを持った街ですが、1969年以降ヒルサイドテラスが建てられる前は、そうではなかったといいます。素晴らしい建築は、ときに周辺環境に影響を与えて、街の雰囲気を変えることがありますが、ヒルサイドテラスは、街路と一体になって、長い時間をかけて代官山の今の環境をつくりだしてきたといえます。

低層から中層の中規模の建築が、街路から引きをとって広場を設けて配置されたり、ペデストリアンデッキを街路と異なるレベルで街路に面して設けることで街路を立体化したり、街路から奥に、広く緩やかな階段で街路とレベルを変えた広場を設けたり、さまざまな魅力ある外部空間が、建築の内部空間と動線的、視覚的に連携して構成されています。

第1期から第6期まで、このように、構成に共通性がありますが、使われている素材は、第1期が鉄筋コンクリートにペイントされているのに対して、第6期では、アルミパネルが使用され、素材やデザインは、時代ごとの最先端のものが採用されています。

第1期は、鉄筋コンクリートの特性を生かし、建物の外壁の素材やデザインはシンプルでありながら、空間の構成が複雑で、ヒルサイドテラスの魅力を基本設計図面から学ぶには最適であると考えました。また、クライアントである朝倉家の緑あふれる庭園が背後にあり、その緑の景観が、前面街路の豊かな街路樹とともに、建築の構成に生かされている点も図面から伝わってきます。さらに、勾配を持つ街路のレベル差が、建築の内部空間の床レベルと、合わせられたり、ずらされたりすることで、空間のつながりや、落ち着き、見えがくれなどが楽しく構成されている点も魅力です。

1階と地下1階には、敷地環境の魅力をさまざまに味わえる、それぞれに個性ある空間に、店舗・ギャラリーが外部空間や内部アトリウムとつながりながら、立体的に構成されています。

2階と3階では、A棟には余裕のある広々とした住戸が、B棟にはメゾネットの集合住宅が配置され、いずれも、背後の庭園や緑豊かな街路の環境を生かしています。都市のにぎわいの近くに住むことの楽しさと、住空間の落ち着きの両立が、多様性を持った空間として、立体的に実現されています。

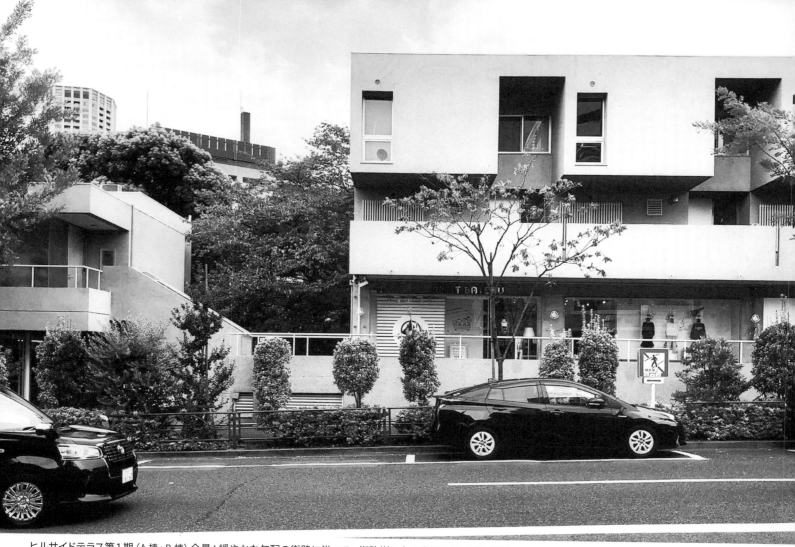

ヒルサイドテラス第1期（A棟・B棟）全景：緩やかな勾配の街路に沿って、街路樹と奥の庭園の緑の間に配置されている。

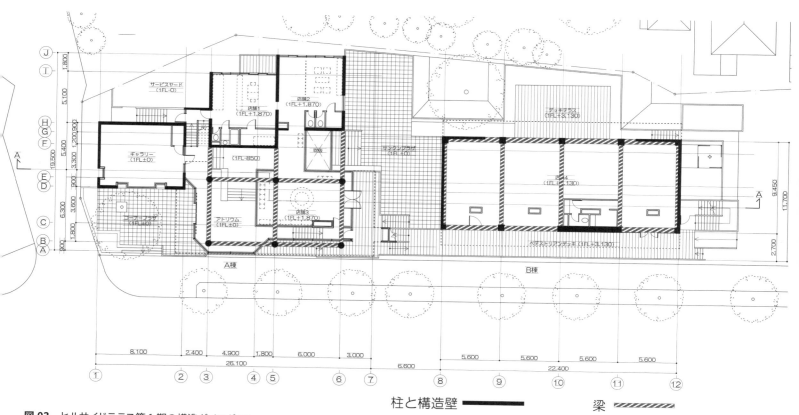

柱と構造壁 ━━━　　　梁 ▨▨▨▨

図 03　ヒルサイドテラス第 1 期の構造ダイアグラム

コーナープラザ：ギャラリーがプラザに開放的に配置されている。

コーナープラザと街路をつなぐ緩やかな階段。

店舗4から、デッキテラスを通して旧朝倉邸 庭園を見る：大きなガラスで庭園に開かれている。

アトリウム：街路とのレベル差と視線の抜け。

　構造とは、建築を支える骨組みです。第2章で、ル・コルビュジエが、鉄筋コンクリートのラーメン構造（梁と柱による構造）とその特長を生かした建築を切り拓いたことを説明しました。

　小さな家は、外周の壁が構造を支えていましたが、建築は、規模が大きくなるほど、構造が建築全体の構成に大きな影響を与えます。

　ヒルサイドテラスでは、鉄筋コンクリートのラーメン構造と壁構造が組み合わされています。左のダイアグラムを見ると、ラーメン構造によって、A棟の街路側のガラススクリーンの開放的な構成や、B棟の街路側、庭園側両方への大きなガラスをはめた開放性が実現していることが分かります。

　さらに、ラーメン構造のスパン（梁や柱の間隔）に構造壁がバランス良く配置されて、空間の分節や開放性の確保が実現していることが分かります。

　左のページのように平面図と正面の外観写真を並べて見ると、決して複雑ではない平面形でありながら、建築の表情が立体的であり、さまざまな居場所や風景がつくり出されていることが読み取れます。また、それらは、「奥の思想」という言葉に相応しい奥行きを持っています。

　アトリウム部分の上の写真を見てください。手前の内部空間は街路よりかなり低くなっており、落ち着いた場所ができています。一方、奥に階段が続く低い内部通路をはさんで、左に街路とほぼ同じ床レベルの場所がガラスでオープンに街路に向き合い、互いに視線が抜けて広がりが感じられます。写真も見て製図することでそれらが学べます。

　次ページから1階平面図、2階平面図、さらに、東西断面図、北立面図の順にヒルサイドテラス第1期の製図を進めます。小さな家と異なり、1/200の図面です。巻末の折込1/200の完成図面を見て三角スケール1/200で測りながら進めてください。今回は、描き順のインストラクションはありません。もう一度、小さな家の図面の描き順を復習しながら進めてください。製図を進める順番は、スケールや建築の機能に関わらず、常に同じで、繰り返しになりますが、厳密に順番に沿って進めることで、正確で美しい図面を仕上げることができます。

　既に慣れてきていると思いますが、丁寧さを保ちながら製図することで、製図の能力が着実に伸びます。また、製図を通して、空間構成の工夫が読み取れるようになることが理想です。この先、製図の仕方や図面表現の方法だけでなく、空間構成などの工夫を学ぶ教科書として、何度も見返して生かしてほしいと考えます。

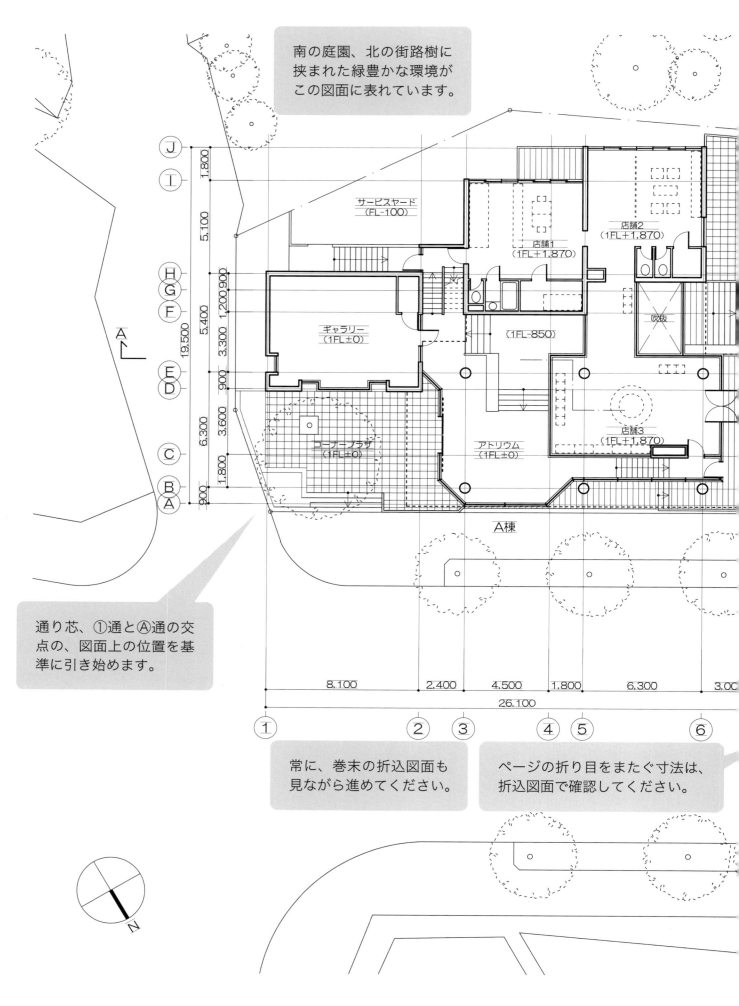

南の庭園、北の街路樹に
挟まれた緑豊かな環境が
この図面に表れています。

サービスヤード
（FL-100）

店舗1
（1FL＋1,870）

店舗2
（1FL＋1,870）

ギャラリー
（1FL±0）

吹抜

（1FL-850）

コーナープラザ
（1FL±0）

アトリウム
（1FL±0）

店舗3
（1FL＋1,870）

A棟

通り芯、①通と④通の交
点の、図面上の位置を基
準に引き始めます。

常に、巻末の折込図面も
見ながら進めてください。

ページの折り目をまたぐ寸法は、
折込図面で確認してください。

1,800
5,100
1,200 900
5,400
3,300
900
6,300
1,800
900
19,500

J
I
H
G
F
E
D
C
B
A

A

8,100　2,400　4,500　1,800　6,300　3,00

26,100

① ② ③ ④ ⑤ ⑥

N

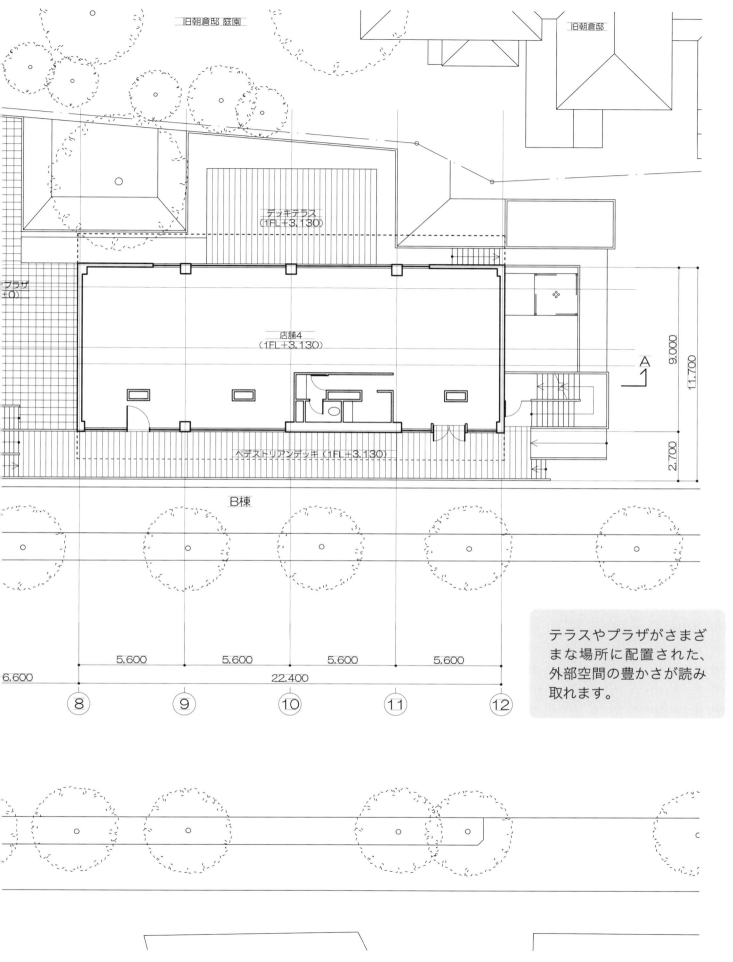

旧朝倉邸 庭園

旧朝倉邸

デッキテラス
(1FL＋3,130)

プラザ
+0

店舗4
(1FL＋3,130)

A

ペデストリアンデッキ (1FL＋3,130)

9,000

11,700

2,700

B棟

5,600　　5,600　　5,600　　5,600

6,600　　　　　　22,400

⑧　　⑨　　⑩　　⑪　　⑫

テラスやプラザがさまざ
まな場所に配置された、
外部空間の豊かさが読み
取れます。

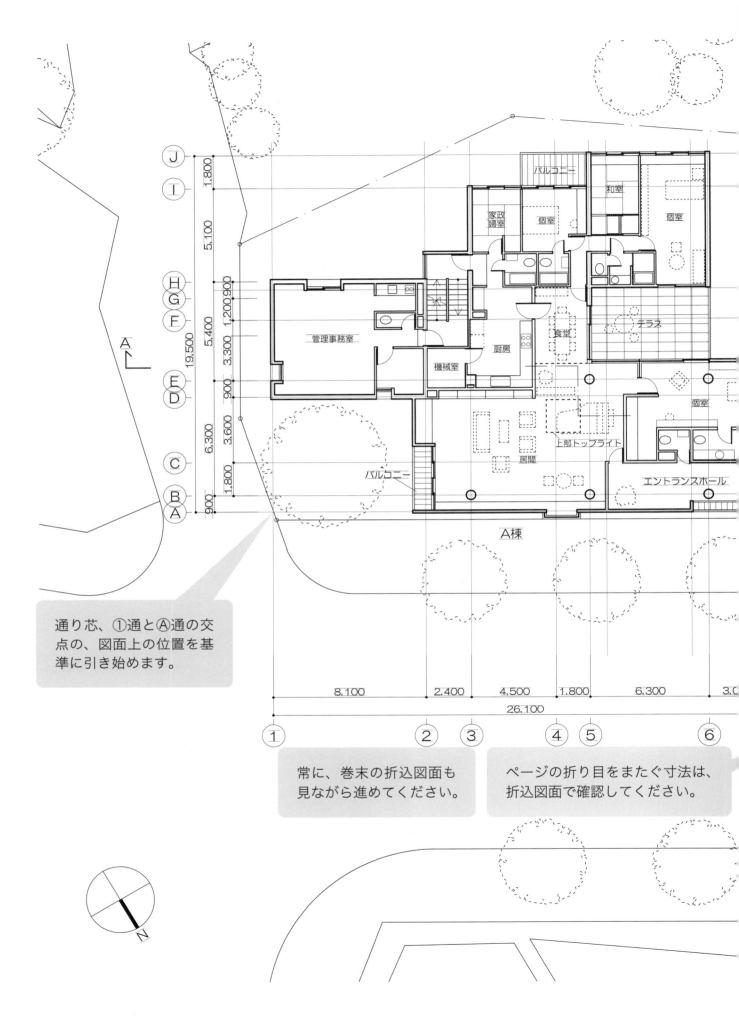

J
I
1,800

5,100

H
G
F
1,200 900
5,400
1,200
3,300

19,500

E
D
900
6,300
3,600

C

B
A
900
1,800

A↑

管理事務室

機械室

厨房

食堂

居間

家政
婦室

個室

和室

バルコニー

個室

テラス

個室

バルコニー

上部トップライト

エントランスホール

A棟

通り芯、①通と④通の交点の、図面上の位置を基準に引き始めます。

常に、巻末の折込図面も見ながら進めてください。

ページの折り目をまたぐ寸法は、折込図面で確認してください。

8,100   2,400   4,500   1,800   6,300   3,0

26,100

①   ②   ③   ④ ⑤   ⑥

N

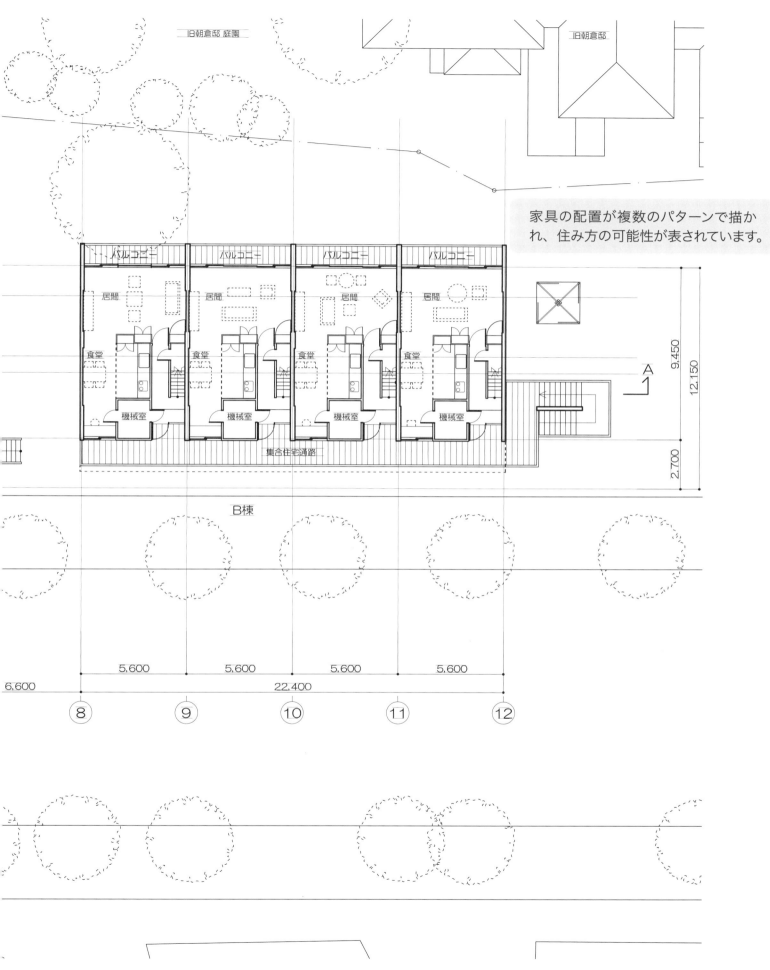

旧朝倉邸 庭園

旧朝倉邸

家具の配置が複数のパターンで描か
れ、住み方の可能性が表されています。

バルコニー

バルコニー

バルコニー

バルコニー

居間

居間

居間

居間

食堂

食堂

食堂

食堂

機械室

機械室

機械室

機械室

集合住宅通路

A

9,450

12,150

2,700

B棟

5,600

5,600

5,600

5,600

22,400

6,600

8

9

10

11

12

床レベルが、半階ずつずら
して設定され、アトリウム
やプラザで視覚的につな
がっています。

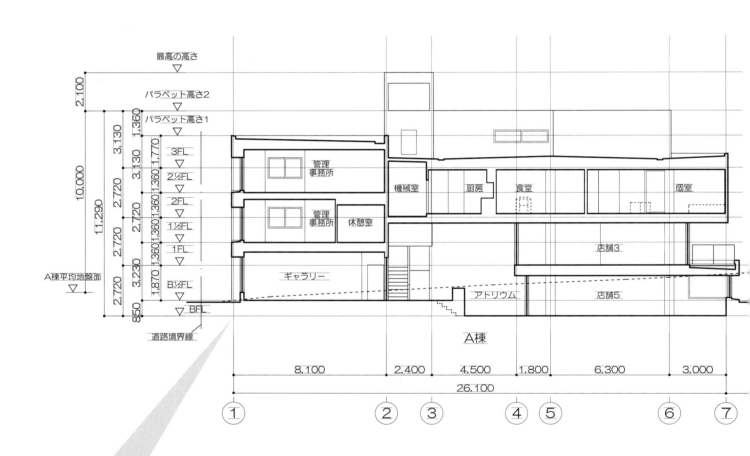

通り芯、①通とBFL通の
交点の、図面上の位置を
基準に引き始めます。

常に、巻末の折込図面も
見ながら進めてください。

ページの折り目をまたぐ寸法は、
折込図面で確認してください。

住戸ユニットがメゾネット
で、吹抜けの広がりがある
ことが読み取れます。

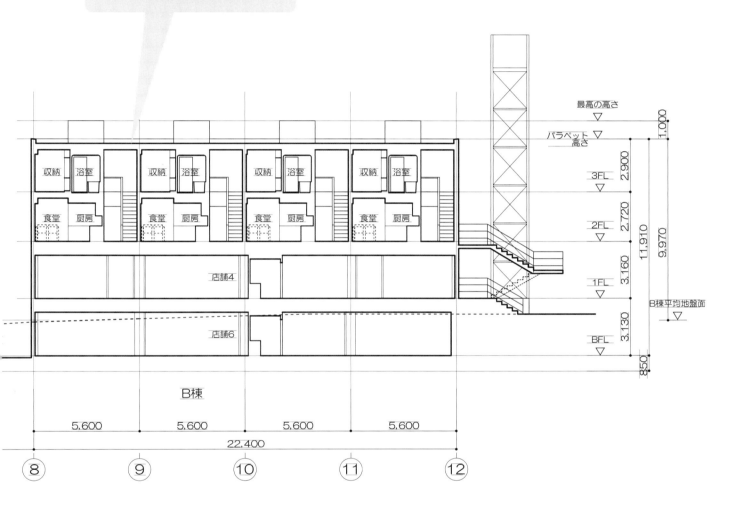

ヒルサイドテラス第 1 期　東西断面図　S＝1:200

前面道路の緩やかな勾配
に沿って、奥行きのある
空間が展開していること
が読み取れます。

A棟

① ② ③ ④ ⑤ ⑥ ⑦

通り芯、①通と地盤面の
交点の、図面上の位置を
基準に引き始めます。

常に、巻末の折込図面も
見ながら進めてください。

ページの折り目をまたぐ寸法は、
折込図面で確認してください。

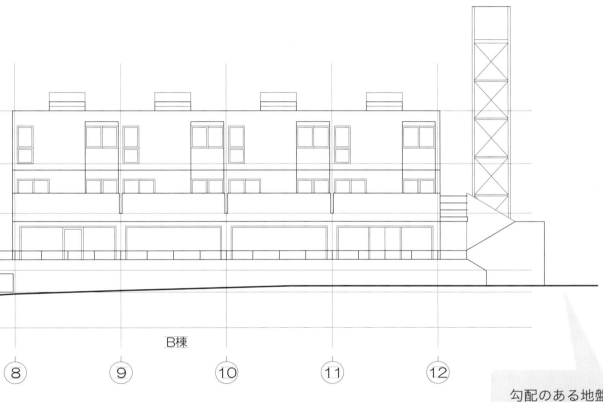

B棟

⑧　　⑨　　⑩　　⑪　　⑫

勾配のある地盤面は、何
度も定規の角度を変え
て、直線を連続させるよ
うに引いてください。

ヒルサイドテラス第1期　北立面図　S＝1:200

ヒルサイドテラス第1期　北側外観：張り出したヴォリュームが、空間の広がりに抑揚をつくりだしている。

第 5 章

夏の家

設計：エーリック・グンナール・アスプルンド
スウェーデン、ステンネース
1937 年

北側の岩山から、夏の家、ゲストハウス、ボート小屋、桟橋とフィヨルドを望む：緩やかなフィヨルドの風景に、切妻のヴォリュームがなじんでいる。
（撮影：吉村行雄。この章すべて）

作品解説　夏の家を設計したのは、北欧、スウェーデンの建築家、エーリック・グンナール・アスプルンド（1885-1940）です。本書の第2章・3章でとり上げたル・コルビュジエ（1887-1965）と同世代の建築家です。近代建築の基礎をつくり、明快な理論と共に世界的に活動したル・コルビュジエ、その流れを汲み、日本の都市の魅力を再発見して、都市スケールの作品に生かし、現在進行形で世界に作品を生み出し続けている槇文彦と比較すると、アスプルンドの作品は全てスウェーデン国内にあり、作品数も限られています。

しかし、代表作の「森の墓地」（1940、ストックホルム）は、近代建築として初めて世界遺産に登録された作品です。

また、21世紀になって、北欧の文化は、高い幸福度や、学校教育の質の高さ、サスティナビリティ意識の先進性、さらに、女性の社会活躍度の高さ、などで注目を集めるようになりました。

アスプルンドの建築作品は、北欧の自然環境の豊かさ、家具や照明のデザインの発展に表れている、日常生活の豊かさを大切にする北欧の文化に根付いています。最後に取り上げる作品として、建築が自然環境や文化の多様な豊かさの中で構想され、多様な魅力を持つことに触れてもらい

たいと考えました。古典となる名建築は、古くても、新たな時代へのヒントを含んでおり、アスプルンドの夏の家は、近年、特に再評価されている作品です。彼が夏の休暇を過ごすために設計した別荘として、環境や風景を生かし、それらと調和した建築作品となっています。

計画地のステンネースは、ストックホルム郊外の海際にあります。氷河による浸食作用によって形成された入江：フィヨルドの穏やかな風景に向かう、緩やかな勾配のある敷地に建ちます。また、背後には岩山があり、それに微かに接するようにヴォリュームが配置されています。

フィヨルドから、桟橋、ボート小屋、ゲストハウス、夏の家、トイレ小屋が、緩やかな弧を描いて、少しずつ角度を変え、距離を置いて配置され、経路でつながれています。これにより、ボートでフィヨルドに出て楽しむことや風景の中を歩くことなどが、家の中で過ごすことと連続したものとなり、体験の豊かさをつくり出しています。

また、リビングルームのヴォリュームが、その他の機能を配置したヴォリュームと中心をずらし、さらにわずかに角度をずらして配置されています。これによってリビングルームだけでなく、ダイニングルームから入江の風景を楽しむことができます。また、ダイニングルームから見える

西側の外観夕景：石のアプローチが芝生の上に伸びる。地盤が南に向かって緩やかに下がる。

リビングルーム内観：アスプルンドがデザインした曲線を用いた家具が、暖炉の前に配置されている。

リビングルームの暖炉：伝統的な民家の暖炉を参考に設計された。

風景の広がりが限定され、結果2つの部屋から見える風景に違いが生じています。ル・コルビュジエの小さな家が、ひとつ風景を横長に大きく捉え、さまざまな生活の場をつないだのと対照的に、それぞれの部屋から、それぞれ異なる風景が見えるという形で生活と自然の風景が結びつけられています。

　また、地形に沿って設けられたレベル差は、2つのヴォリュームの中心と角度のずれと連動して、空間に動きをもたらし、キッチンスペースからベッドルーム、ダイニングルーム、リビングルームに向かって縦方向の広がりをつくり出しています。ヒルサイドテラスの床レベルが、街路と合わせたり、あえてずらしたり、多様に構成されているのに対して、夏の家は、それと対照的に、地盤レベルの勾配に素直に合わせてあるのも、面白いところです。

　さらに、夏の家の重要な特長は、この地域の伝統的な民家を参考に設計されていることです。民家のような切妻屋根の外観は、穏やかに周辺環境に馴染んでいます。2つのヴォリュームの結節点に配置されたユーモラスで、ムーミンを連想させる暖炉も、伝統的な民家に倣ったものです。

　2つのベッドルームは朝日が差し込む東側に配置され、西側の軒下空間に、ポーチが設けられています。外にも、

もうひとつの暖炉が配置され、前庭とポーチが一体的になって、夏の屋外で過ごす場をつくり出しています。岩山とリビングルームのヴォリュームがその場を両側から囲んで落ち着きをつくり出しています。

　構造も民家に倣って木造が採用され、木の構造材が天井や軒に、一定のリズムで、さまざまな形で表され、内部空間に連続性と変化を与えていることも断面図から読み取れます。

　北欧の家具や照明の発展について述べましたが、夏の家の家具は、アスプルンド自身の設計によるユニークなものです。有機的で、暖炉のデザインと呼応するリビングルームの家具は、これも小さな家と対照的に、それぞれに建築に対して角度をずらして配置され、動きと親密さをつくり出しています。

　次ページから、配置図、平面図、断面図、立面図の順に夏の家の製図を進めます。小さな家と同じ1/100ですので、比較することでも発見が得られます。今回も描き順のインストラクションはありませんので、もう一度、小さな家の図面の描き順を復習しながら進めてください。

　夏の家の特長を十分知ってもらうために断面図は3面用意しました。

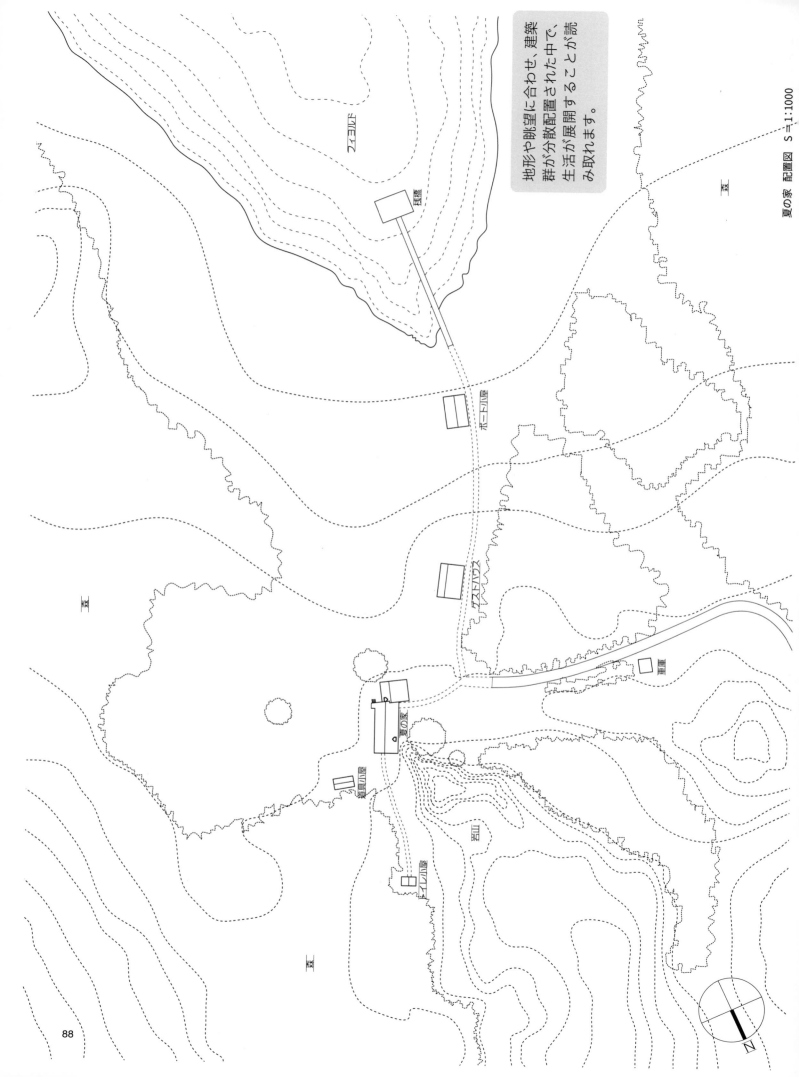

地形や眺望に合わせ、建築群が分散配置された中で、生活が展開することが読み取れます。

フィヨルド

珪藻

ボート小屋

ゲストハウス

車庫

藻

夏の家

暖具小屋

岩皿

トイレ小屋

藻

藻

N

夏の家 配置図　S = 1:1000

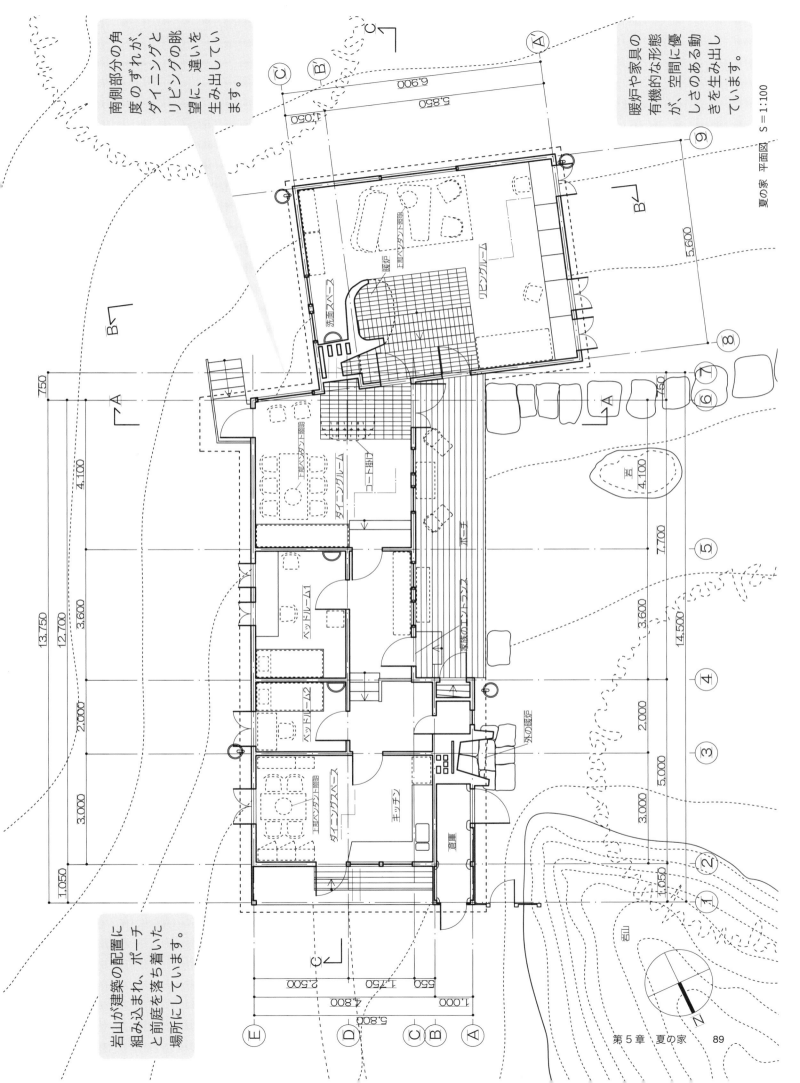

南側部分の角度のずれが、ダイニングとリビングの眺望に、違いを生み出しています。

暖炉や家具の有機的な形態が、空間に優しさのある動きを生み出しています。

岩山が建築の配置に組み込まれ、ポーチと前庭を落ち着いた場所にしています。

夏の家 平面図　S＝1：100

洗面スペース
暖炉
上部ペンダント照明
リビングルーム
ダイニングルーム
上部ペンダント照明
コート掛け
ベッドルーム1
ベッドルーム2
ダイニングスペース
上部ペンダント照明
キッチン
食庫
外の暖炉
夏座のエントランス
ポーチ
岩

6,900
5,850
1,050
5,600
750
4,100
13,750
12,700
3,600
2,000
3,000
1,050
7,700
3,600
14,500
2,000
5,000
1,050
1,000
4,800
5,800
550
1,750
2,500

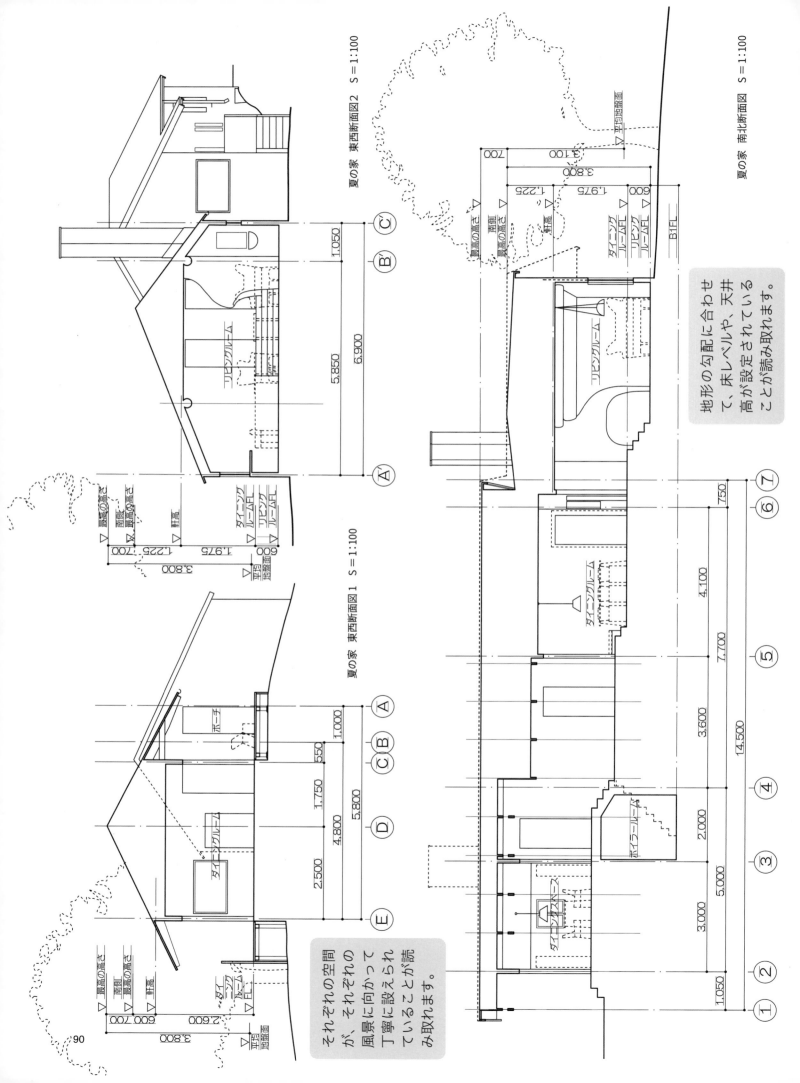

夏の家　東西断面図2　S＝1:100

B'　1,050

C'

5,850

6,900

リビングルーム

A'

最高の高さ

南側最高の高さ

軒高

ダイニングルーム FL

リビングルーム FL

1,975　1,225　700

600

3,800

平均地盤面

夏の家　東西断面図1　S＝1:100

A　1,000

C B　550

1,750

4,800

5,800

D

ダイニングルーム

2,500

E

ポーチ

最高の高さ

南側最高の高さ

軒高

ダイニングルーム FL

2,600　600　700

3,800

平均地盤面

それぞれの空間
が、それぞれの
風景に向かって
丁寧に設えられ
ていることが読
み取れます。

夏の家　南北断面図　S＝1:100

700

3,100

3,800

平均地盤面

最高の高さ

南側最高の高さ

軒高

ダイニングルーム FL

リビングルーム FL

B1FL

1,975　1,225　600

リビングルーム

7

750

6

4,100

ダイニングルーム

5

7,700

14,500

3,600

4

2,000

ボイラー室ルーム

3

5,000

3,000

ダイニングルーム

ワインスペース

2

1,050

1

地形の勾配に合わせ
て、床レベルや、天井
高が設定されている
ことが読み取れます。

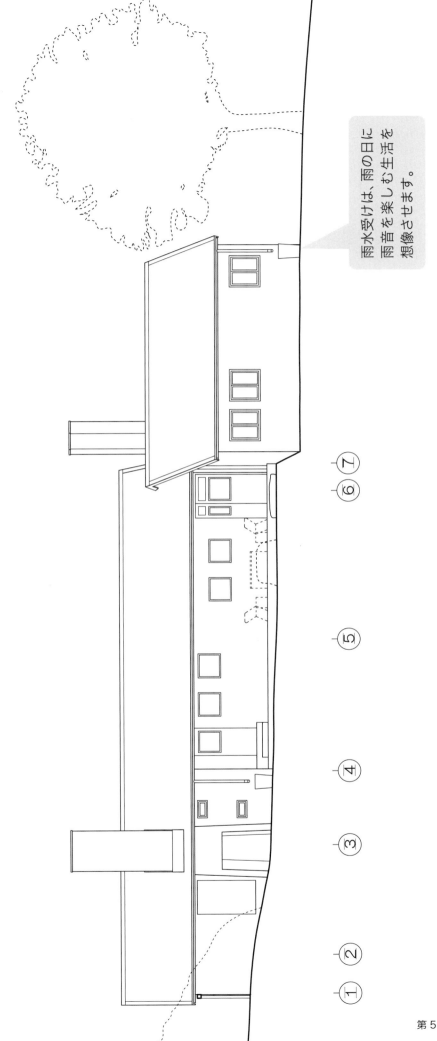

雨水受けは、雨の日に
雨音を楽しむ生活を
想像させます。

夏の家 西立面図　S＝1:100

夏の家　リビングルームの窓からフィヨルドの風景を望む：この窓は上にスライドして開く仕掛けになっている。

■図版・写真提供協力
Shafiul Alam Sohag：第1章（カップマルタンの休暇小屋 写真）
藤脇慎吾：第1章（カップマルタンの休暇小屋 写真）
槇総合計画事務所：第4章図面協力
吉村行雄（吉村行雄写真事務所）：第5章（夏の家 写真すべて）
河村真帆（近畿大学建築学部）：手描き図面
（特記なき限り著者撮影による）

著者略歴

垣田博之（かきた・ひろゆき）

近畿大学建築学部教授。1968 年生まれ。京都大学工学部化学工学科を経て、
建築学科へ転科し、卒業（卒業設計賞受賞）。パリ、ラ・ヴィレット建築学校
（文部省給費交換留学生）を経て、京都大学大学院修了、竹中工務店設計部、近
畿大学建築学部准教授を経て現職。垣田博之建築設計事務所主宰。第 3 回日
本建築設計学会賞、2019 年 AACA 賞優秀賞、日本建築学会作品選集（2001、
2003、2008、2009、2024 年）他受賞。2021 年大阪建築コンクール大阪府
知事賞。

名建築のデザインに学ぶ製図の基礎

2021 年 7 月 31 日　第 1 版第 1 刷発行
2024 年 3 月 20 日　第 1 版第 2 刷発行

著者	垣田博之
発行者	井口夏実
発行所	株式会社 学芸出版社
	京都市下京区木津屋橋通西洞院東入
	電話 075–343–0811　〒 600–8216
	info@gakugei-pub.jp
	http://www.gakugei-pub.jp/
編集担当	知念靖廣
DTP	梁川智子
装丁	KOTO DESIGN Inc. 山本剛史
印刷・製本	モリモト印刷

©Hiroyuki KAKITA 2021　　　　　　　　　　　　Printed in Japan
ISBN978-4-7615-3273-4

改訂版　名作住宅で学ぶ建築製図

藤木庸介 編著／中村 潔・林田大作・村辻水音・山田細香 著
A4 変判・96 頁・本体 2800 円＋税（定価 3080 円）

篠原一男「白の家」を描き方のメインの題材とし、そのほかに吉阪隆正、広瀬鎌二、吉村順三、前川國男、などの近代名作住宅で学ぶ製図テキスト。多くの大学、専門学校で教科書として利用されてきた本書に、新たにＲＣ造である名作・吉阪隆正「浦邸」を追加し、改訂版とした。作品の概観・室内写真なども掲載している。

建築デザイン製図

松本正富 編著／政木哲也・半海宏一・鰺坂誠之 著
A4 変判・112 頁・本体 2800 円＋税（定価 3080 円）

実務に則した汎用的なプランニングや納まりをもつ木造住宅とＲＣ造複合ビルの1/100 製図手順を徹底解説。簡易透視図法によるパースの描き方、模型のつくり方、プレゼンテーションテクニックまで網羅し、「伝わる建築プレゼンテーション」を素早く習得。各章末に、課題ごとの評価基準を見える化した「ルーブリック評価シート」付。

建築・設計・製図　住吉の長屋・屋久島の家・東大阪の家に学ぶ

貴志雅樹 監修／松本 明・横山天心 著
A4 変判・92 頁・本体 2800 円＋税（定価 3080 円）

安藤忠雄「住吉の長屋」、堀部安嗣「屋久島の家」、岸和郎「東大阪の家」の名作住宅3 題で製図、パース・模型制作、プレゼンテーションと一連のスキルを学べる入門書。中庭をもつ矩形平面という 3 題の共通点や、周辺環境や構造種別（RC 造・木造・Ｓ造）に応じた個々のプランニングで、空間を読み解きながらの基礎習得を実現。

初歩からの建築製図

藤木庸介・柳沢 究 編著
A4 変判・92 頁・本体 2800 円＋税（定価 3080 円）

建築製図を初めて学ぶ学生を対象に、どのように描いていくのかをやさしく導く、入門製図テキスト。シンプルな箱の建物をもとに、空間の把握、図面のしくみを学んだあと、本格的に木造の製図を描く練習をする。つまずきやすいところ、誤解しやすいところなどを、楽しげなイラストを交えて、わかりやすく解説している一冊。

最短で学ぶ Vectorworks　建築製図とプレゼンテーション

エーアンドエー OASIS 監修／辻川ひとみ・吉住優子 著
B5 判・160 頁・本体 3000 円＋税（定価 3300 円）

平面図から断面図、立面図、パース、アニメーションまで、建築製図とプレゼンテーションの基本を一冊で効率的に学べる入門書。3D-CAD で建築物をモデリングし、そこからあらゆる建築図面を取り出す手順を操作画面で丁寧に解説しているので、独学や授業・講習に最適。Vectorworks 操作技能認定試験対策にも使える一冊。